D1537537

Collection "Contes illustrés pour adultes"

♦♦♦

L'Homme qui refusait de mourir

♦♦♦

ÉQUIPE DE RÉALISATION

Nicolas Ancion : écrivain
Patrice Killoffer : illustrateur
François Taddéi : chercheur en biologie
Lili Fleury : graphiste

sur une proposition de
Danièle Rivière : éditrice

L'HOMME QUI REFUSAIT DE MOURIR

de Nicolas Ancion

illustré par Patrice Killoffer

avec la participation de
François Taddéi

sous la direction de
Daniele Riviere

CAUCHEMAR

Le couloir, tendu de tapisseries sombres et faiblement éclairé par des appliques à la lumière vacillante, semble interminable. Il débouche, après de longues minutes sur des portes d'ascenseur, qui s'ouvrent sans un bruit. Tu pénètres dans la cabine mais le couloir se prolonge et tu entends une voix plaintive, faible d'abord puis de plus en plus forte, ce n'est bientôt plus un gémissement mais un cri de douleur, tu reconnais la voix, au moment où le couloir atteint une nouvelle porte, fermée cette fois, une porte en bois clair, que tu ne connais que trop bien, c'est celle de la chambre de ton arrière-grand-mère, c'est de là que proviennent les cris, tu n'as pas le moindre doute, tu ouvres la porte et tu la vois, dans la lumière vive du bloc opératoire, deux médecins la maintiennent fermement contre la table d'opération tandis qu'un troisième la charcute, il y a du sang partout, sur le plafond et les murs, tu voudrais hurler mais aucun son ne sort de ta bouche, les hommes tournent la tête vers toi, ils rient, et derrière leurs masques stériles, tu le remarques, ils n'ont pas de visage, ce ne sont pas des médecins, ce sont des robots, ils ricanent avec des cliquetis mécaniques, tu recules pour fuir et tu l'entends hurler ton prénom.

— Alex, aide moi !

Elle a le visage en sang.

Elle s'essuie du revers de la main.

Mais ce n'est pas son visage, c'est le tien.

Ce sont tes propres yeux qui te fixent avec un regard désespéré.

Tu recules et tu tombes en arrière, sans parvenir à te retenir

De si haut et si vite que le souffle te manque

Une chute vertigineuse qui ne s'arrête pas

Jusqu'au bord de ton lit où tu t'éveilles pantelant

Le corps couvert de sueur glacée

Les yeux hagards

C'est toi et ce n'est pas toi

Un animal

Un inconnu

Assis sur le bord de ton lit.

Ton cœur cogne encore et le réveil indique six heures du matin. Noémie dort allongée sur le flanc, elle ne s'est rendu compte de rien. Son ventre rond repose devant elle, sa respiration est douce et régulière. Tant mieux. Toi, tu es dans un sale état. Goût de cendre dans la bouche, doigts qui tremblent.

Trop tôt pour téléphoner.

Tu marches jusqu'à la fenêtre, le jour se lèvera bientôt, tu devines les premières nuances de bleu sur le grand drap noir et orangé qui s'étend derrière les toits. Tu files à la cuisine et tu avales un grand verre d'eau froide suivi d'un deuxième. Tes pieds nus sur le linoléum te tirent doucement vers la réalité. Tu reprends racine.

INTERVIEW

◆ *1*

La scène est pour le moins inhabituelle. Depuis qu'elle a rejoint la rédaction de l'Hebdo du Lundi, il y a un plus de deux ans, Chantal n'a jamais eu à se plier à pareil rituel pour procéder à une interview. Elle a l'impression que même pour rencontrer le président des États-Unis en personne, les mesures de sécurité seraient moins impressionnantes. Les deux assistants du professeur Karinthy ont consulté la liste des questions qui allaient être abordées au cours de l'entretien, ils ont examiné avec attention le magnétophone numérique et procédé à une fouille au corps.

— Pas de photo, pas de vidéo, un simple entretien d'une demi-heure maximum et l'obligation de donner à lire l'article avant parution pour corriger les éventuelles erreurs.

— Mais qu'est qui vous gêne dans toute cette histoire, avait-elle demandé ? C'est un simple article dans un magazine d'information destiné au grand public.

— Oui, Madame, mais ce qui est imprimé est appelé à durer et le professeur est pointilleux avec tout ce qui concerne la postérité.

Voilà comment Chantal se retrouve assise dans un large fauteuil de skaï rouge, dans une pièce aux murs blancs. Il n'y a pas grand-chose à regarder ici en dehors du jardin qui sommeille derrière une paroi vitrée et deux portes. L'une plutôt grande, par laquelle elle est entrée, et l'autre plus petite, dans le mur qui fait face au jardin. Les deux assistants se retirent par la plus petite et annoncent que le professeur sera bientôt là. Il n'y a pas d'autres sièges dans la pièce, Chantal se demande où il va bien pouvoir s'asseoir. Il est peut-être en chaise roulante, tout simplement, songe-t-elle.

Elle est loin du compte.

La lumière baisse soudain, quand deux impressionnants volets électriques descendant devant les fenêtres. Sur le mur blanc, face au fauteuil, une image apparaît alors, projetée depuis le plafond par une machine silencieuse. On y découvre le visage, filmé en gros plan, d'un homme aux cheveux épais, à la barbe hirsute, affublé de larges lunettes solaires. Un visage en contre-jour sur fond de bibliothèque Ikéa, chargée de classeurs à anneaux. On aurait pu la prévenir...

– Bonjour, mademoiselle.

– Bonjour, professeur, balbutie-t-elle. Je ne m'attendais pas à une vidéoconférence...

– Je sais, je préfère réserver la surprise pour la dernière minute, les journalistes reportent sans cesse jusqu'à ce que je sois disponible pour un entretien en face à face. Je suis dans le même bâtiment que vous, en réalité, mais mes travaux exigent un milieu parfaitement stérile et cela prend près d'une heure pour passer à travers les différents sas. Je ne peux pas me permettre de perdre tout ce temps, vous comprenez cela…

— Bien entendu, répond-elle sans grande conviction.

Elle passe en revue ses notes et lève la tête vers l'écran.

— Professeur Karinthy, vos travaux explorent des domaines très variés. Quand on parcourt votre CV, on découvre que vous vous êtes intéressé à la biochimie, à la mécanique appliquée, à la microchirurgie et à l'effet des radiations sur les organismes vivants. Alors que la plupart des chercheurs se spécialisent dans un domaine, on dirait que votre spécialité, c'est d'être tout terrain ?

Le professeur ricane et l'on aperçoit ses incisives blanches entre les poils bruns de la barbe.

— C'est plutôt aux autres qu'il faut demander comment ils parviennent à accepter que leur domaine d'étude soit limité à un ou deux petits tiroirs qui correspondent aux classifications de la science, dans son état balbutiant. Je me considère tout simplement comme un généraliste du vivant, une sorte d'humaniste au sens du XXIe siècle. Je m'intéresse à la vie, à ses limites et à son fonctionnement. Toutes les approches sur ce sujet m'intéressent. J'ai la chance de cumuler tant d'années d'études que je peux vraiment pratiquer l'interdisciplinarité.

— Vous êtes tout de même devenu un des spécialistes mondiaux des bactéries, Professeur, et...

— Je ne suis spécialiste de rien. Je me contente de chercher. Et de trouver, de temps à autre.

— Des travaux de certains de vos collègues, qui portent sur l'étude d'une bactérie immortelle, ont montré qu'elle résistait même aux attaques nucléaires.

Le professeur approche son visage de la caméra, on dirait qu'il chuchote mais sa voix est presque menaçante.

— Il n'y a pas de bactérie *immortelle,* je peux vous l'assurer, mademoiselle. Si vous faites allusion à *Deinococcus radiodurans*, qu'on appelle aussi Conan la Bactérie, il ne s'agit pas du tout d'immortalité.

— Elle est capable de ressusciter quelques heures après sa mort, j'ai lu plusieurs articles à ce sujet.

Le professeur Karinthy rit de bon cœur.

— Il ne suffit pas de ressusciter pour être immortelle, ce serait trop simple ! Vous avez déjà voyagé en Afrique ?

Chantal ne sait que répondre. Oui, elle a déjà parcouru

plusieurs pays africains, mais… Le professeur n'attend pas la réponse et poursuit :

— Si vous visitez une ville un peu à l'écart des grands ports et des centres de commerce, vous verrez à tous les coins de rue des voitures qui semblent tout droit sorties du cimetière. Des automobiles qui ont plus de cinquante ans et qui roulent encore.

— Et ?

— On pourrait croire, à les voir rouler, qu'elles sont immortelles, non ? Le secret, ce n'est pas que ces voitures sont solides, c'est qu'on les répare beaucoup mieux qu'on ne le fait chez nous. Comme Conan la Bactérie, il y en a qui ont déjà été laissées pour mortes plus d'une fois et qu'on a sorties de la casse, puis qu'on a remises en état avec un peu de savoir-faire et de ténacité. Il n'y a pas de miracle, les bactéries sont mortelles, comme nous. Elles vieillissent, comme nous. Elles tiennent peut-être moins à la survie de leur propre nombril parce qu'elles n'en ont pas.

Il éclate de rire et les larges lunettes de soleil sautillent sur le bout de son nez.

— Il n'y a pas de miracle dans ce monde-ci, en tout cas.

— Alors, professeur, quand vous prétendez que la science avance et qu'on pourra bientôt ralentir le vieillissement des cellules, c'est juste du baratin pour faire vendre du papier.

— Non, c'est juste un raccourci, pour montrer la direction dans laquelle nous avançons. Je ne crois pas aux miracles mais je suis convaincu que la science peut résoudre à peu près tous les problèmes pratiques. On peut réparer les corps humains comme on bricole un vieux moteur et une carrosserie. On peut aussi améliorer le vieillissement des cellules.

— C'est pour ce projet que vous recevez des financements importants en provenance des États-Unis depuis des dizaines d'années ? demande la journaliste.

— Le vieillissement, ou plutôt la lutte contre le vieillissement est un sujet porteur. Mes sources de financement proviennent des quatre coins du monde, pas seulement des États-Unis, je vous rassure. Le laboratoire qui pourra mettre au point une technique pour ralentir l'effet du temps sur l'organisme est assuré de trouver des financements sans effort.

— Et c'est votre cas.

— Oui, nous travaillons à réduire les phénomènes liés au vieillissement.

RÉVEIL

Au réveil, Noémie rit de toi.

— C'est un bête cauchemar. On en fait tous, tu sais.

— Peut-être, mais il était particulièrement terrifiant.

Elle verse du café dans un grand bol, pose le pain grillé sur une planche et attaque le tartinage. Tu es debout près de la fenêtre, on dirait que tu n'as pas bougé depuis des heures.

— Il s'explique très bien, même. Tu as rendu visite à Mémé hier, elle était en parfaite santé. Vous avez discuté et cette nuit tu as fait un rêve un peu angoissant parce que tu as peur de finir comme elle, toujours en vie à cent huit ans passés.

— Ça ne me fait pas peur : elle a toute sa tête.

— Justement, dans ton rêve, elle la perdait et elle avait la tienne !

Noémie part d'un grand éclat de rire. Tu regardes le ciel gris tandis que le bruit de la mastication remplit la pièce. Le pain grillé, ce n'est pas ton truc, tu préfères les nourritures plus discrètes. Déformation professionnelle sans doute.

Noémie te regarde, elle sourit mais semble inquiète. Elle garde les sourcils froncés.

— Tu peux appeler la maison de repos, si ça te rassure.

— Je crois que je vais carrément y faire un tour avant d'aller au bureau. Ça me fera du bien de voir les lieux en grandeur nature…

— Tu as beaucoup de boulot aujourd'hui ?

Tu ne sais plus, tu ne pensais plus du tout au travail. Pourtant tu es rentré à deux heures du matin d'une filature qui s'éternisait. Tu as des enregistrements vidéo, des photos, tu peux boucler le rapport et convoquer le client.

— De la paperasse, surtout, ça peut attendre. Ça attendra, d'ailleurs.

Tu t'approches de Noémie assise sur la chaise et, debout derrière elle, tu l'enlaces comme si tu ne devais plus jamais la revoir. Elle prend tes mains dans les siennes et les pose sur son ventre.

— Tu sens comme il bouge ? J'espère qu'il aura tes mains. J'adore les mains aux longs doigts.

VISITE

Quand tu ranges la voiture le long du trottoir, une demi-heure plus tard, tu as traversé la moitié de la ville. La résidence se dresse au coin d'une grande avenue aux bâtiments plats, le genre de quartier déprimant où les murs crépissés interminables succèdent aux grillages renforcés. Pas de piétons, dans le coin, ça ne cadrerait pas avec les immeubles tracés à la règle et fabriqués à la hâte. Tu t'avances vers l'entrée, tu tapotes le clavier du digicode, traverse le couloir du rez-de-chaussée sans même saluer le préposé dans la loge d'accueil. Tu gravis les escaliers quatre à quatre, pour rejoindre le troisième étage et la chambre que tu connais bien.

Une infirmière se tient sur le palier du deuxième, elle sourit en te voyant arriver.

— Où courez-vous comme ça ? chuchote-t-elle.

— Je viens voir mon arrière-grand-mère, elle est dans la chambre 203.

— Il est un peu tôt, Monsieur Vidal, il vaut mieux ne pas la réveiller pour le moment.

— Il lui est arrivé quelque chose cette nuit ?

— Non, non, rien de particulier, répond-elle à voix basse en prenant appui sur la rambarde. Suivez-moi dans le salon, nous serons mieux pour discuter.

Les couloirs se ressemblent tous, ils sont couverts d'un papier peint verdâtre qui donne à la peau une coloration maladive. Dans le salon, au premier étage, on ne trouve qu'une télévision, éteinte, et un gros cendrier sur pied, qui date d'une ère révolue où les fumeurs étaient encore accueillis à bras ouverts dans les lieux publics.

— Votre grand-mère..., commence l'infirmière.

— Arrière-grand-mère, précises-tu avec un sourire amusé.

Elle ne fait pas son âge, mais tout de même.

— Justement. J'ai l'impression qu'elle perd un peu la carte.

— C'est bien normal, non ? Si on n'est pas sénile à son âge, quand a-t-on le droit de l'être, alors ?

L'infirmière approuve de la tête.

— Je suis contente de voir que ça ne vous inquiète pas trop. Elle m'a raconté des histoires abracadabrantes au réveil ce matin.

— Quel genre d'histoires ?

— Elle m'a demandé qui étaient les médecins qui étaient venus cette nuit...

Tu le sens le sol qui tremble sous tes pieds. L'air te semble plus épais. Ta respiration se bloque d'un coup. Toi qui es habitué aux situations tendues, tu trembles comme une feuille à l'idée que ton rêve ait pu être autre chose qu'un simple cauchemar.

— Elle vous a donné des détails ?

— Non, elle était persuadée que deux médecins étaient venus l'ausculter, qu'ils allaient revenir. Ils lui avaient juste donné un cachet.

— Et comment est-ce que vous êtes certaine qu'elle a imaginé tout ça ?

L'infirmière prend un ton professionnel pour te répondre :

— Je suis seule pour assurer le suivi médical pendant la nuit. S'il y a un médecin dans le bâtiment, c'est moi qui l'ai appelé. Et je n'ai appelé personne, Monsieur Vidal.

Quelque chose te chiffonne mais tu ne parviens pas à mettre le doigt dessus. Quelque chose qui ne tourne pas rond, ou qui coïncide trop bien, justement.

— Je suis restée à côté d'elle, elle s'est endormie paisiblement.

— C'était il y a combien de temps ?

— Juste avant que vous n'arriviez, il y a un quart d'heure tout au plus.

— Pourquoi est-ce que vous m'empêchez d'aller la voir ? Vous me cachez quelque chose...

Ces mots, tu t'entends les prononcer comme s'ils sortaient de la bouche d'un autre. Le visage de l'infirmière se referme, elle plante son regard droit dans le tien.

— Qu'est-ce que vous racontez ? Je ne vous interdis rien du tout. Je vous ai juste signalé que votre grand-mère était très fatiguée.

— Mon arrière-grand-mère, précises-tu.

— Oui, excusez-moi, dit-elle, je devrais le savoir.

— C'est moi qui vous prie de m'excuser, j'ai une visite à faire.

Tu tournes les talons et tu sors sans hésiter. Tu fonces vers l'escalier, tu entends son pas qui te suit sur le palier.

— Monsieur Vidal !

Tu ne te retournes pas, tu ne veux pas savoir ce qu'elle va inventer, tu as peur pour ton arrière-grand-mère dans sa chambre là-haut, c'est viscéral, ça monte de l'intérieur et ça court sous ta peau, tu sens que ça te gagne comme la marée qui monte, il faut que tu te calmes. Si tu as envie de réveiller ton ancêtre, c'est ton droit le plus strict, personne ne t'en empêchera.

Tu prends appui sur la rampe, tu jettes un œil dans la cage d'escalier : elle ne t'a pas suivi.

Tu prends une aspiration profonde, par le nez, les yeux fermés, tu reprends le dessus.

Cette nervosité ne te ressemble pas. Tu es un gars posé et calme, tu ne vas pas flancher pour un bête cauchemar.

Tu atteins le troisième étage, le papier est toujours aussi vert et le couloir tranquille. Il n'y a personne en vue, tu prends ton élan et tu fonces vers la chambre.

Tu ouvres la porte sans frapper. La referme derrière toi.

La chambre est vide.

Il n'y a plus de lit, il n'y a que la table de nuit avec un vase en terre et les photos de ta famille.

VISITEUR

— Puis-je savoir ce que vous faites dans cette chambre ?
La voix grave te fait sursauter. Tu te retournes pour découvrir un petit homme à la cravate soigneusement repassée et la chemise bien nouée, qui porte un collier de barbe noire et des lunettes rectangulaires ringardes.

— Je cherche Madame Mercier.

— Je peux savoir qui vous êtes pour vous balader dans les chambres à cette heure-ci ? Les visites ne sont admises que l'après-midi.

— Je suis son arrière-petit-fils, réponds-tu avec aplomb. Et c'est vous qui ne vous êtes pas présenté.
L'homme retire ses lunettes et les utilise pour se gratter les ailes du nez.

— Je suis le directeur de cette institution. Votre grand-mère a été emmenée à l'infirmerie pour le vaccin de la grippe.
Tu sens la tension monter à nouveau. Comme un marteau qui pilonne tes temps de l'intérieur.

— À cent huit ans ? Ça n'a aucun sens !

— Nous avons reçu des instructions très strictes, nous n'avons pas le choix.
Tu te retiens pour ne pas élever la voix. Ce petit monsieur dans son costume sombre te déplaît. Tu détestes cette attitude de fonctionnaire arrogant, borné et sûr de lui. Il a chaussé ses lunettes et te scrute de la

tête aux pieds. Les images de ton rêve reviennent te hanter. Tu les chasses au plus vite et tu repars à l'attaque :

— Pourquoi est-ce qu'on vient de me faire croire que mon arrière-grand-mère dormait et qu'on m'a empêché d'entrer dans la chambre ? Le petit monsieur semble très sincèrement surpris. Son visage vibre un instant, il paraît particulièrement ennuyé parce que tu viens de lui dire.

— Qui est-ce qui vous a raconté des choses pareilles ?

— Une de vos infirmières, une grande blonde avec des cheveux jusqu'aux épaules.

— Pardon ? demande le directeur.

Il te regarde droit dans les yeux.

— Il n'y a personne qui ressemble à cette description, ici. Vous êtes certain que vous l'avez bien regardée ?

Il y a des gens qui ont le don de te taper sur les nerfs. Tu as envie de lui balancer ta main dans la figure, de casser ses lunettes et de foncer à l'infirmerie.

— Je viens de discuter avec elle, il y a cinq minutes à peine, dans le salon au premier étage. Je ne suis pas fou. Elle porte une blouse blanche.

Le directeur retire ses lunettes une nouvelle fois et les pointe dans ta direction.

— Le personnel de notre institution porte des blouses bleues. Nous ne sommes pas habilités à porter des uniformes médicaux. Surtout pas les gardes-malades.

— Vous voulez me faire croire que je suis daltonien, c'est ça ?

— Non, mais un peu confus, il me semble. Je vous comprends, vous vouliez voir votre grand-mère…

Tu te sens bouillonner à l'intérieur.

— C'est mon arrière-grand-mère ! cries-tu, beaucoup trop fort à ton goût. Tu regrettes aussitôt ce ton déplacé. Il te regarde à nouveau dans les yeux, laisse passer un petit moment de silence, sans doute dans l'espoir que tu recouvres ton calme.

— Où est-elle, cette infirmière ?

— Dans le salon. Elle y était il y a deux minutes, en tout cas.

— J'ai bien envie de voir la tête qu'elle a, votre prétendue infirmière. À mon avis, elle n'a pas de tête du tout. C'est sans doute cela le plus probable.

— Je n'ai pas inventé, tout de même.

— Je ne sais pas, Monsieur Vidal. Dans ce métier, je peux vous assurer que j'en ai vu de terribles. Si ça se trouve, c'est une de nos locataires qui se prend pour une garde-malade. Ce ne serait pas une première. Je vais voir de ce pas.

Il ouvre la porte, s'avance dans le couloir.

Tu hésites un instant. Tu regardes la chambre vide. Et si cette infirmière avait fait du mal à ton aïeule ? Le directeur attend devant les portes de l'ascenseur.

— Je vous accompagne, cries-tu, je descends par l'escalier.

Comment as-tu pu te faire avoir par une fausse infirmière ? Toi, dont le métier est de dénicher la vérité derrière les fausses apparences, tu t'es laissé berner comme un bleu.

Tu dévales les marches quatre à quatre, sautes d'un palier à l'autre, croises une vieille dame en route vers la salle-à-manger, à ce train-là, à petits coups de déambulateur, elle devrait y arriver avant la tombée de la nuit, tu la contournes avec soin, reprends ta descente et, dans le couloir au premier étage, là où la tapisserie verdâtre dispute la laideur à quelques vases de fleurs séchées, tu tombes nez à nez avec l'infirmière blonde.

Sa blouse est bel et bien blanche. Tu jubiles :

—Vous voilà, vous ! Je pense que le directeur sera ravi de vous voir.

L'infirmière blêmit. Elle lance machinalement une mèche de cheveux par-dessus son épaule.

— Le directeur ? Mais comment est-ce que…

—Vous ne bougez pas, reprends-tu aussitôt en lui saisissant le poignet, je viens juste de le rencontrer dans la chambre de ma grand-mère.

— De votre arrière-grand-mère, corrige l'infirmière avec un ton bienveillant, tandis qu'elle détache tes doigts de son avant-bras.

— Ça n'a pas d'importance, laissez-moi finir ! Pourquoi m'avez-vous fait croire qu'elle dormait ?

— Mais… mais… bafouille l'infirmière.

La clochette de l'ascenseur lâche un *ding* familier. Tu souris et saisis à nouveau le bras de l'infirmière.

—Voilà le directeur, vous allez pouvoir vous expliquer.

— Lâchez-moi, enfin, vous me faites mal.

L'infirmière recule d'un pas et tourne les yeux vers l'ascenseur avant de revenir vers toi avec un air furieux. Elle s'emporte :

— Qu'est-ce que c'est que cette histoire de directeur ? C'est une directrice, d'abord, et elle est en vacances en Namibie depuis la semaine dernière.

Tu hésites un instant. Cette femme a un aplomb qui ferait douter une brique de sa solidité. Tu ne dois pas la laisser manipuler.

Les portes de l'ascenseur sont ouvertes mais personne n'en sort. Tu sens ton cœur s'arrêter, sans trop savoir pourquoi. Que redoutes-tu donc ? La seconde qui s'écoule te semble interminable.

Une forme se dessine enfin dans l'ouverture, précédée d'un déambulateur en métal brillant. C'est la veille de l'étage au-dessus. Une fois sortie de la cabine, elle marque une pause et salue, d'un petit geste de la main.

— Tout va bien, Madame Maréchal ? demande l'infirmière.

— Mais qu'est-ce qu'il fiche ? grommelles-tu.

— Qui ça ?

— Le directeur, dis-tu entre tes dents, il était dans l'ascenseur il y a trois minutes, il devait me retrouver ici.

— Il n'y a pas de directeur, je vous dis.

— Un type à lunettes démodées avec une barbe de prof de lettres et un costume sombre. C'est lui qui m'a expliqué que mon arrière-grand-mère était à l'infirmerie…

La vieille tente de passer entre vous deux, vous vous écartez contre le mur pour lui laisser le passage.

— L'infirmerie, vous êtes certain ?

Le ton de l'infirmière est dubitatif, c'est le moins qu'on puisse dire. Tu as la détestable impression qu'elle met tes paroles en doute.

— Je ne suis pas fou, tout de même !

— Il n'y a pas d'infirmerie dans le bâtiment. On administre les soins dans les chambres.

La couleur des murs te rappelle soudain celle de la vase : tu sens que tu t'embourbes.

— Mais la chambre était vide… Le lit avait disparu.

— Qu'est-ce que vous racontez ? Où voulez-vous qu'il soit ?

Elle a l'air plus inquiète pour ton aïeule que pour ta santé mentale, ça te rassure.

— Je suis certain que la chambre était vide, je suis entré.

L'infirmière s'approche de toi et c'est elle qui saisit ton bras à présent.

— Vous êtes tout pâle. Vous êtes sûr que tout va bien ? Vous avez mangé quelque chose ce matin, Monsieur Vidal ? Asseyez-vous un instant, ça vous fera du bien.

Pas question de t'asseoir ou d'attendre. La situation te ronge de l'intérieur, tu sens le doute qui s'insinue en toi comme un poison à l'effet foudroyant, ça picote, ça fourmille, ça grésille, tu ne tiens plus en place.

Deux minutes plus tard, vous ouvrez ensemble la porte de la chambre. Ton arrière-grand-mère est allongée sur son lit, le directeur a disparu.

— Vous voyez bien qu'elle dort. Je vais vous chercher un café.

DÉPART

Le café n'arrange rien mais au moins il est chaud. Après deux tasses, tu n'y vois pas plus clair. As-tu rêvé ? T'es-tu trompé d'étage ? As-tu été victime d'une caméra cachée, toi qui en places chez les femmes infidèles et les maris violents ? Comment le lit et le corps ont-ils pu disparaître puis revenir en quelques minutes à peine ?

L'infirmière n'a pas de réponse à t'apporter. Elle te recommande juste le calme et le repos. Tu n'as pas envie de cela.

Il n'y a que deux entrées au bâtiment : le rez-de-chaussée pour les visiteurs, et le sous-sol, qui donne sur le parking, pour les fournisseurs, les ambulances et les pompes funèbres.

L'infirmière quitte la chambre, elle te signale qu'en cas de pépin, elle n'est jamais loin, il suffit de l'appeler dans le couloir ou la cage d'escalier.

Il est bientôt neuf heures, il faut que tu files au bureau. Pas envie de t'asseoir à l'ordinateur pour rédiger ton rapport. Tu préférerais rouler jusqu'à la salle d'entraînement cogner pendant une heure ou deux ton sac de frappe.

La vue par la fenêtre ne vaut pas le déplacement. Une rue encombrée de voitures, la pluie fine qui tombe avec obstination, le ciel gris et bas…

   — Alex… C'est toi ?

Tu sursautes et tu te retournes aussitôt.

Elle a les yeux ouverts, à moitié, du moins, le visage tourné vers toi.

— Mémé ! Comment te sens-tu ?

— Ils sont venus ce matin, dit-elle d'une voix faible. Ils m'ont emmenée et m'ont fait passer des examens, j'ai mal partout…

— Qui t'a emmenée, mémé, ton médecin ?

— Non, je ne les connaissais pas. Un monsieur à lunettes et deux infirmiers.

— Avec une barbe, l'homme à lunettes ?

Tu n'as pas besoin de sa réponse, tu la connais déjà.

— J'ai mal, là, en bas.

Elle montre un endroit qu'une arrière-grand-mère ne devrait jamais montrer à son arrière-petit-fils. Tu détournes le regard.

— Je t'ai appelé, quand ils ont voulu m'enfoncer leur tuyau. J'ai crié.

— Je sais, Mémé, c'est comme si je t'avais entendue. Repose-toi, maintenant. Je vais me renseigner…

Tu l'aides à s'installer plus confortablement, tu l'embrasses sur le front et tu quittes la pièce au plus vite.

PARKING

L'ascenseur est bien assez large pour accueillir un lit mais c'est impossible de le sortir au rez-de-chaussée, le passage est trop étroit et il y a deux marches. Tu prends à nouveau place dans la cabine et te laisses porter jusqu'au sous-sol. Le couloir est large, illuminé par des tubes néon. Le vert des murs a laissé place à un jaune crème plus joyeux mais il flotte dans une odeur de soupe et de friture refroidie. Les cuisines ne doivent pas être loin.

Au bout du couloir, une double porte vitrée ouvre sur un parking ceinturé d'un abominable mur grisâtre. Une dizaine de voitures font le gros dos sous la grisaille du matin. La bruine réveille tes sens. Tu te sens à nouveau maître de la situation.

Au bout du parking, une grande camionnette blanche attend l'ouverture de la barrière pour quitter les lieux. Une ambulance ? Peut-être, mais sans gyrophare… Une indication publicitaire plutôt discrète, sur le flanc annonce le nom de la société : AB Medi. Le nom te dit quelque chose… La barrière s'ouvre et le véhicule démarre. L'espace d'un instant, tu as l'impression d'entrevoir un barbu à lunettes sur le siège passager.

Une hallucination ? Tu ne te poses pas la question et tu fonces. Le temps que tu atteignes la barrière, la camionnette est déjà loin. Tu ne la vois plus, en tout cas.

Chou blanc. Tu n'es pas sûr, au fond, qu'il y ait eu quelqu'un sur le siège passager. Tu reviens jusqu'aux portes vitrées et là, sur le carrelage, deux lignes sombres et encore humides ne te laissent aucun doute : un lit à roulettes est entré par ici. Le lit de ton aïeule ? C'est bien ce que tu redoutes.

Tu n'entres pas dans le bâtiment, tu regardes le sol du parking, un rectangle de bitume sec délimite l'emplacement où la camionnette était garée. Elle était là depuis un bout de temps, il pleuvait avant que tu n'arrives... Il faut que tu retrouves ce véhicule. Dire qu'il était encore là, il y a quelques instants à peine...

Tu marches jusqu'à la barrière de sortie. Elle est flanquée non pas d'un lecteur de badge ou de carte magnétique mais d'un interphone. Tu appuies sur le bouton et une voix d'homme grésille dans le haut-parleur.

— Oui ?

— Qu'est-ce que je dois vous donner pour sortir ?

— Le numéro de plaque... Mais vous êtes à pied, là.

Tu lèves la tête et repères sans peine la caméra fixée sur un pilier à l'angle du bâtiment, protégée par une sphère noire.

— Ne bougez pas, j'arrive.

Tu ne laisses pas le temps au réceptionniste de réagir, tu fonces vers les doubles portes puis l'escalier, tu es déjà au rez-de-chaussée, tu rejoins l'entrée mais la loge est vide. Sur la vitre, un post-it griffonné à la hâte annonce «De retour dans un quart d'heure». Tu jettes un œil par-dessus ton épaule, il n'y a personne en vue. Sans hésiter, tu pousses la porte de la loge et la refermes derrière toi.

La petite pièce est sombre, éclairée par la lueur blafarde de six écrans de vidéosurveillance accrochés au mur au-dessus du guichet d'accueil.

Vues en noir et blanc de couloirs et de portes, du parking aussi. Peut-être qu'avec ces appareils tu pourrais regarder les images du début de matinée, l'arrivée de la camionnette, peut-être même suivre le trajet du lit de ton arrière-grand-mère à travers les couloirs… Mais tu ne connais pas ce modèle de télévision en circuit fermé, tu ne sais pas si les images sont enregistrées sur bandes, stockées dans un disque dur ou simplement diffusées en temps réel. Et le temps, justement, c'est ce qui te fait défaut, tu es pressé, il n'y a pas une minute à perdre. Tu cherches un mode d'emploi punaisé sur le mur ou des indications sur le fonctionnement des appareils. Ce que tu trouves est bien plus intéressant. Une affichette recommande au personnel de surveillance de biffer les plaques d'immatriculation sur la feuille de stationnement au moment de la sortie des véhicules. Voilà ce qu'il te faut. Tu fouilles les papiers sur le bureau, il y a de vieux exemplaires de *L'Équipe,* des grilles de sudoku, un joli bloc de post-it presque neuf et un tableau à colonnes intitulé «occupation parking». Bingo.

En deux secondes tu repères une ligne barrée avec le nom AB Medi. Arrivée : 5h30. Tu copies le numéro d'immatriculation sur le premier post-it de la pile.

Des pas se font entendre dans le couloir. Tu te plies en deux et te glisses sous le bureau. Tu retiens ton souffle mais ton cœur bat à toute allure. Les pas se rapprochent. Tu as le nez collé contre le carrelage. Les pas sont juste de l'autre côté de la cloison, tu pourrais presque entendre la respiration.

L'ouvre-porte de l'entrée grésille, la personne sort, les pas s'évanouissent dans le brouhaha de la rue puis la porte se referme.

Qu'est-ce que tu fous à te cacher comme un voleur ? Que veux-tu découvrir, au fond ? Que ton aïeule a bien disparu avant de réapparaître ? Que tu as croisé un malade mental qui se fait passer pour le directeur d'une maison de repos ? C'est un pauvre type, voilà tout. Il y en a plein dans ce coin-ci de la planète. Il doit certainement y en avoir autant à l'autre bout de l'univers mais ce n'est pas ton affaire. La distance t'aide à sérier les problèmes.

Tu sors de la loge, remonte au troisième étage, embrasse sur le front une vieille dame aux cheveux blancs et clairsemés, endormie et souriante.

Tu remontes dans ta voiture et tu files au bureau.

Tu n'imagines pas que le pire est encore à venir.

À vrai dire, le pire est sans doute toujours devant, du moins si l'on considère que mourir fait partie des pires choses qui peuvent nous arriver. Les pessimistes diront que la naissance est bien plus redoutable, que c'est elle qui est à l'origine de tout ce qui nous arrive par la suite. Ce n'est pas faux, sans doute. Les morts pourraient nous éclairer sur le sujet, eux qui ont traversé les deux, mais ils n'ont plus droit à la parole. C'est injuste, mais c'est ainsi, il faut bien l'accepter.

Les super pessimistes, quant à eux, diront que c'est l'apparition de la vie sur cette planète qui est la cause de tous les malheurs. Le premier unicellulaire, avec sa face de membrane et son patrimoine génétique en pagaille, aurait mieux fait de mettre fin à ses jours sans prendre le temps d'engendrer des congénères. Un bon suicide initial aurait fait disparaître à tout jamais les dépressions et les maladies orphelines, les amputations, les sévices de tous ordres, la torture, la faim dans le monde et le strabisme divergent.

Les super pessimistes ont le don de rendre les choses simples, à défaut de les rendre joyeuses.

INTERVIEW

◆ 2

— Et l'immortalité, professeur ?

Chantal revient sur le sujet, après tout, c'est là-dessus qu'elle doit rédiger son papier. Quitte à jouer les journalistes, autant tenir le rôle avec soin.

— Personne ne souhaite rendre l'homme immortel. Imaginez un peu ce que deviendrait la surface de la terre, si nous ne mourions plus ? Ce serait la surpopulation. Nous sommes déjà trop nombreux.

— Ce n'est pas cet aspect-là qui vous arrête, si j'ai bien lu certains de vos articles, vous expliquez qu'il suffirait alors de renforcer le contrôle des naissances et, si besoin, de contingenter les «décès accidentels», comme vous les appelez.

Le professeur toussote et affiche un sourire un peu gêné.

— Vous savez comment nous sommes, nous, les scientifiques. Il ne faut pas prendre toutes nos idées au pied de la lettre. Disons que, sur le plan intellectuel, l'idée se défend. On ne peut pas prendre comme excuse que la planète deviendra surpeuplée pour arrêter de travailler sur le prolongement de la vie bien au-delà de ses limites actuelles.

La journaliste sourit, c'est là qu'elle voulait en venir :

— C'est pour cela que vous imaginez non pas de

prolonger éternellement la vie de tous les êtres humains mais plutôt de rendre immortels certains êtres en particulier…

— Je n'ai pas d'objectif secret. On me paie pour faire de la recherche. Il se trouve que, parmi mes donateurs, il y a quelques hommes très riches qui souhaitent retarder le plus possible le moment où ils quitteront cette planète. Je suis à leur service. Mais je ne travaille pas sur la mort, c'est un sujet qui ne m'intéresse pas, je préfère la vie. Et le rapport entre la vie et la mort, de mon point de vue de scientifique, c'est le vieillissement. On dit qu'un organisme vieillit quand, statistiquement il augmente les probabilités de fin de vie. Mais la fin de vie est inéluctable. On peut la reculer dans certains cas, jamais la supprimer. On a démontré, il y a quelque temps déjà que tous les organismes sont mortels. Les bactéries elles-mêmes, pour revenir à votre première question, vieillissent comme nous. Elles meurent, alors qu'on a cru pendant des siècles qu'elles étaient immortelles.

— On ne peut donc pas soigner la mort ?

— La mort n'est pas une maladie, mademoiselle. Les causes de mort sont aussi variées que multiples : ce qu'on a pu constater, c'est que chez tous les êtres vivants, la courbe est la même, statistiquement, les

chances de mourir augmentent de façon
exponentielle — elles doublent tous les huit ans chez
l'homme — puis arrivent à un palier. Pour nous, humains,
la mort est un événement capital, qui semble avoir une
importance définitive, mais pour les scientifiques qui
s'intéressent aux statistiques, la mort est plutôt une
constante dans une courbe de probabilités… les causes
sont variées mais le résultat est identique.

— Est-ce que vous permettez que je sois honnête avec
vous, professeur ?

— Bien sûr !

— Je ne vous suis plus. D'un côté, vous criez sur tous
les toits que votre laboratoire interdisciplinaire travaille
à atteindre l'immortalité et, maintenant, vous me
démontrez que tout est mortel dans la nature.

— Tout est mortel, dans la nature, vous résumez cela
très bien. Les humains sont mortels, Socrate le disait
déjà dans ses premiers sophismes. Ce qui peut atteindre
l'immortalité, c'est le transhumain.

— Le surhomme, c'est ça ?

— Si vous voulez. Les mots n'ont que peu
d'importance, ils sont humains eux aussi, ils naissent à
un moment donné de l'histoire, se propagent puis
s'usent, d'autres les remplacent…

RETOUR

Le docteur Gomez n'aime pas arriver en retard, de façon générale, mais il déteste plus encore faire attendre des invités. On n'a pas tous les jours soixante ans; autant être ponctuel.

Les jantes larges de son coupé Mercedes balaient les herbes du bord de la route, les pneus, dans les tournants serrés, empiètent sur le bas-côté. Il conduit nerveusement. Quarante invités qui viennent accompagnés, cela va faire du monde pour la fête. Il ne doit heureusement se soucier de rien pour l'organisation, sa femme a engagé un professionnel, une jeune type à tête de tortue. Pas gâté par la nature : dos voûté, chauve, avec de gros yeux globuleux et une bouche sans lèvres. Le genre d'arriviste qui compense un physique repoussant par un look de tombeur : chemise blanche impeccable, cravate sombre et costume griffé, montre de prix et intonations de présentateur télé. Abus probable de cocaïne. Cerveau de reptile idéal pour organiser des fêtes mondaines. Se charge du DJ, des plantes vertes, des serveurs, des spots pour égayer la piscine. Si nécessaire des belles filles et des beaux mecs pour chauffer l'ambiance. Ce ne sera pas nécessaire, merci.

Comme chaque soir, les feux rouges, les embarras de circulation, les routes mal conçues, mal entretenues et mal fréquentées ont retardé le docteur Gomez. Depuis qu'il a quitté l'autoroute, il appuie sur l'accélérateur sans relâche, il écraserait père et mère s'il le fallait. Après sa journée tendue au laboratoire, il a besoin d'un rhum, d'une douche et d'une cigarette. Il pourrait fumer au volant mais c'est une règle qu'il s'impose à lui-même, l'odeur de tabac froid mêlée à celle des sièges en cuir lui rappelle les vieux taxis. Désagréable.

Il atteint l'entrée du village quand son téléphone pépie.

D'une injonction de voix, il ordonne au main libre de décrocher.

— Gomez, j'écoute.

— Vous êtes chez vous, docteur ?

— Non, pas encore mais ça ne devrait pas tarder.

— Je passe vous voir tout de suite, alors.

— Écoutez, Chanut, ce n'est vraiment pas le moment. J'organise une réception ce soir, pour mon anniversaire.

Le ton de la voix du docteur ne laisse pas le moindre doute sur ses intentions. Il souhaite qu'on lui fiche la paix.

— Docteur, j'ai une très bonne nouvelle. Plus qu'une nouvelle, d'ailleurs. On pourrait dire que je vous apporte votre cadeau d'anniversaire.

Le docteur Gomez pile sur le frein juste à temps pour éviter un scooter qui déboule de la droite.

Il reprend son souffle et redémarre, plus lentement, cette fois.

— Docteur, vous êtes toujours là ?

— Oui, Chanut, qu'est-ce que vous m'avez trouvé, exactement ?

— Je ne peux pas vous expliquer ça par téléphone. J'arrive.

Chanut raccroche et le docteur Gomez tape le volant de la Mercedes à coups de paume.

— Merde. Merde. Merde.

Il sait que Chanut n'apporte jamais que des emmerdes. Il n'a pas besoin de ça. Dans une heure, les invités seront là, il devra faire bonne figure. Il n'a aucune envie de parler boulot avec un barbouze brutal et décervelé.

La silhouette de la villa se dessine en haut de la colline, entre les pins parasol et les cyprès. La piscine reflète la lumière des projecteurs colorés sur la façade rectangulaire bardée de bois. Gomez arrête la voiture un instant pour savourer, au travers du pare-brise, la vue apaisante. Cette nuit n'est pas comme les autres; c'est sa nuit. Il ne laissera personne la lui gâcher.

Il appuie sur la télécommande et le portail s'ouvre sans bruit.

Dans quelques instants, il sera à la maison.

FÊTE

La fête bat son plein. La moitié de l'assemblée est constituée de médecins aux cheveux gris et au ventre proéminent, qui mâchouillent des cigares et pincent les fesses de leurs épouses siliconées. Ils ont un verre dans le nez et un bâton dans le cul, ce qui ne semble pas incompatible, loin de là, le premier aidant à assouplir le second. Le docteur Gomez a reçu une avalanche de babioles qui l'ont fait sourire : une panoplie de parapente, une montre hors de prix, un jeune alligator et des livres emplis de photos somptueuses et de textes que personne ne lira jamais. Et assez de bouteilles de grands crus pour remplir une cave entière. Il s'amuse comme un gamin, il a même décidé de danser la prochaine fois que le DJ à casquette acceptera de passer une séquence de Claude François. Il rigole si fort qu'il ne sent pas son téléphone vibrer.

C'est Chanut. Et Chanut, ça ne l'amuse pas quand on laisse ses appels résonner dans le vide. Il est assis dans la voiture, devant le portail de la propriété, fermé. Il entend la musique qui martèle. Il voit les lumières bleues, rouges et vertes qui illuminent le haut des arbres. Il a envie de défoncer la clôture à coup de cric. Il est comme ça, Chanut. Il n'aime pas trop quand la réalité lui résiste.

Il suffirait pourtant qu'il daigne appuyer sur le bouton de la sonnette pour que le portail s'ouvre. Il n'y pense pas. Il fait signe au chauffeur.

Celui-ci descend de la voiture, s'approche de la grille, éclaire le boîtier de radio-contrôle à l'aide d'une lampe de poche miniature, règle deux ou trois paramètres sur une grosse télécommande universelle et, soudain, les deux battants s'écartent sans bruit.

Gomez pose son verre sur une des hautes tables qui entourent la piscine. Il tapote l'épaule d'un vieil ami, lance un clin d'œil en direction de sa femme et s'éloigne dans le jardin.

Le vrai luxe, pense-t-il, c'est d'avoir un jardin suffisamment étendu pour y pisser discrètement alors qu'on accueille plus de quatre-vingts invités. Il s'approche d'un épais fourré de thuyas. Il a toujours détesté cette plante, c'est un des vestiges de sa première femme, il va enfin pouvoir l'arroser à sa manière. Il dézippe son pantalon et soulage sa vessie.

Les hurlements qui jaillissent du buisson le font bondir sur place. Son cœur tambourine avec frénésie, comme le tam-tam d'une galère en retard sur l'horaire. Deux silhouettes sortent des fourrés et se rhabillent à la hâte.

— Vous ne pouvez pas aller dans une chambre, comme tout le monde ?
Le docteur Gomez rigole. C'est le cadeau le plus amusant de la soirée. Il vient d'uriner sur son imbécile de beau-frère et sa maîtresse, aussi bronzée qu'un vieux fauteuil en cuir craquelé. Il y a trente ans, ils se seraient sans doute battus pour moins que ça. Comme le temps passe…

— Tu peux prendre un costume dans ma garde-robe pour te changer, Éric. Choisis celui que tu préfères, je te l'offre !
Mais le beau-frère s'éloigne sans le remercier. Gomez peut enfin éclater de rire pour de bon.

— Vous êtes bien généreux, docteur…
La voix est froide, elle est grave et à peine plus forte qu'un murmure.

Gomez n'a pas le moindre doute : c'est celle de Chanut.

— Je suis passé au laboratoire cet après-midi, on m'a dit que vous aviez fait de belles avancées.

— Pourquoi est-ce que vous venez me parler de ça ici, Chanut ? Vous voyez bien que ce n'est pas le moment, je suis en pleine fête d'anniversaire.

— Je vous ai dit au téléphone que j'avais un cadeau pour vous, suivez-moi. Gomez jette un œil vers la terrasse, la fête suit son cours. Personne ne semble s'inquiéter de son absence. Il emboîte le pas du petit homme en costume sombre. Ils arrivent à la voiture. D'un geste du menton, Chanut ordonne à son chauffeur d'ouvrir le coffre. Il en tire une glacière. Avec précaution, il la pose sur le sol et soulève le couvercle. Elle est remplie de bocaux de verre hermétiquement fermés. Les uns semblent remplis de sang, d'autres d'urine ou de matières brunâtres peu ragoûtantes.

— Je vous avais dit que rien n'était impossible pour ce projet, docteur.

— Où avez-vous trouvé ça ?

— Je vous passe les détails. Je peux juste vous dire que tout le prélèvement provient d'un seul donneur, qui est une donneuse, en réalité. L'une des doyennes de la nation. Cent huit ans et trois cent vingt-deux jours. Pas d'antécédents cancéreux dans la famille depuis trois générations en amont et en aval. Une santé de fer. Elle parle encore et elle a toute sa tête.

— Quand avez-vous obtenu tout ça ?

— Ce matin même. Le prélèvement n'a pas encore vingt-quatre heures. Le docteur sourit et soupire en un même mouvement, qui tord son visage.

— Vous auriez dû m'apporter tout ça au labo en journée, je l'aurais traité en urgence.

— Je vous ai appelé plus tôt mais vous n'avez pas voulu m'écouter.
Le docteur tourne la tête vers la villa, mais n'aperçoit que les reflets
des spots et les vagues de musique qui débordent par-dessus les arbres.

— Ce n'est vraiment pas le bon moment. La moitié de mon équipe a
un verre dans le nez et l'autre moitié est déjà écroulée dans les fauteuils
ou dans les toilettes. Moi-même, j'ai beaucoup trop bu. Je ne peux pas
manipuler ces échantillons comme ça.

— Ne vous inquiétez pas, vous avez droit à l'erreur, nous avons prélevé
des kilos de matières premières, nous lui avons vidé l'intestin et la
plupart des autres orifices. Vous pourrez trouver toutes les bactéries que
vous cherchez. Je n'ai pas fait les choses à moitié.

— Elle a donné son consentement ? demande le docteur.
Chanut éclate de rire.

— Ne vous inquiétez pas pour les formalités administratives. Chacun
son boulot. J'ai fait le mien, à votre tour de faire le vôtre.
Gomez ne semble pas sauter de joie. Il reste silencieux et c'est Chanut
qui conclut :

— Ne vous tracassez pas pour tout ça ce soir. Ce sera pour demain.
J'imagine qu'on vous réclame sur la piste et au bar.
Gomez approuve de la tête, même s'il n'a plus du tout envie ni de
danser ni de boire.

— Allez, filez, on va ranger ça dans votre garage et demain, vous
pourrez mettre en route la nouvelle phase de notre projet.

INTERVIEW
◆ 3

Chantal est toujours assise face à l'écran. Même si l'enregistreur garde trace de tout ce que raconte le professeur Karinthy, elle note sur de grandes feuilles quadrillées la plupart des idées. Ça l'aide à comprendre et à organiser l'information. Le professeur est toujours plongé dans des explications au sujet du vieillissement.

— Le vieillissement chez l'homme, comme je le disais tout à l'heure, c'est simplement une augmentation statistique des chances de mourir, qui s'explique par plusieurs mécanismes à l'échelle de la cellule. D'abord, les erreurs de réplication de l'ADN : à chaque fois que la cellule se reproduit, elle peut perdre un peu de l'information génétique. L'information se raccourcit petit à petit, jusqu'à ne plus être correcte. D'un autre côté, les radicaux libres, libérés par l'oxygène brûlé en permanence par la cellule, perturbent les processus. On pourrait dire que la molécule rouille. Et l'organisme perd avec le temps pas mal de mécanismes utiles, notamment pour réparer les cellules. Ces trois phénomènes se combinent pour enrayer le bon fonctionnement des cellules. On marche de plus en plus mal : on vieillit. Et bientôt, on meurt. Même si on peut mourir pour des tas d'autres causes, plus extérieures, bien avant cela. On peut se faire écraser dans un accident de voiture, tout comme jadis on pouvait être attaqué par un ours ou mourir d'un mauvais rhume. Ces morts-là n'entrent pas en ligne de compte.

Chantal tourne la feuille. Ce ne sont pas les questions qui manquent.

— Professeur, il y a trente ans, vous étiez pris en photo devant une batterie de robots et vous ne juriez que par l'intelligence artificielle. Depuis, vous avez consacré un temps incroyable aux bactéries. Vous avez encore d'autres passions pour les années à venir ? La seule information qu'on ne trouve pas dans vos curriculum vitae, c'est votre date de naissance.

— C'est un secret que je garde jalousement. Je ne vais pas lâcher une des rares informations que j'ai réussi à garder pour moi durant des dizaines d'année. L'autre partie de votre question m'intéresse plus. Tant que je serai en vie, je serai plongé dans la recherche : c'est ce qui me donne envie de me lever et de me laver le matin. Après la robotique, l'intelligence artificielle et la transplantation d'organe, les nutriments et les nanotechnologies, je pense que c'est du côté des bactéries et des micro-organismes que l'on peut apprendre le plus de choses intéressantes pour la survie des espèces. C'est en manipulant des mécanismes simples que l'on peut comprendre les mécanismes plus compliqués, tous les scientifiques savent que l'on doit réduire le problème à une question simple pour le résoudre. On peut alors s'engager dans la voie de la complexification. Et petit à petit, on ne comprend plus rien parce qu'on ne maîtrise plus grand-chose.

Il ricane derrière ses lunettes noires, son rire devient une sorte de toux, s'amplifie et semble ne plus vouloir s'arrêter. Quand, enfin, il parvient récupérer son souffle, Chantal reprend :

— J'ai lu quelque part que l'hydre est capable de remonter le cours du temps. C'est vous qui avez découvert cela ?

— Certainement pas. Remonter le cours du temps est une expression qui n'a aucun sens. Le temps est irréversible et personne ne peut plus le contester désormais. Simplement, l'hydre est capable de retourner à un état antérieur de son développement. Elle n'inverse pas le cours du temps mais elle parvient tout de même à rajeunir pour redémarrer un cycle de vie. Si, en cas de danger ou de gros pépin de santé, nous pouvions replonger en enfance et repartir pour un tour, je pense qu'on trouverait pas mal de volontaires pour signer.

— C'est votre objectif ?

— Je ne sais pas quel est le but à atteindre. Depuis des décennies, je tente de surmonter les obstacles qui nous empêchent de durer. De nombreux confrères cherchent à venir à bout du cancer, je les laisse faire et j'espère qu'ils arriveront bientôt à trouver des solutions. Pour ma part, je cherche des solutions qui permettent de contourner les problèmes dont on ne peut pas encore venir à bout.

— Comme ?

— Disons, pour faire bref, les limites physiques de notre propre corps : son usure et son vieillissement.

— Vous avez travaillé sur des animaux.

— Oui, mais aussi sur des bactéries et des champignons. Toutes les formes de vie m'intéressent, même les rats, les mouches et les singes. Mais les problèmes sont plus complexes avec les animaux évolués et les temps d'évaluation beaucoup plus longs. L'erreur serait de juger les effets trop rapidement. Nous devons viser le très très long terme…

L'image scintille quelques instants, Chantal en profite pour préparer sa question :

— Mais vous atteignez déjà des résultats concrets ?

— Disons que si un de mes patients est encore en pleine forme dans un siècle et demi, alors j'aurai gagné mon pari.

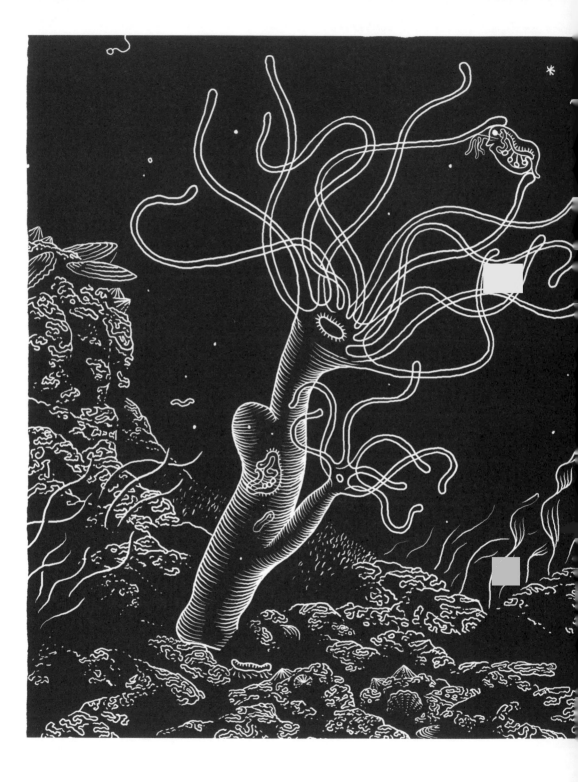

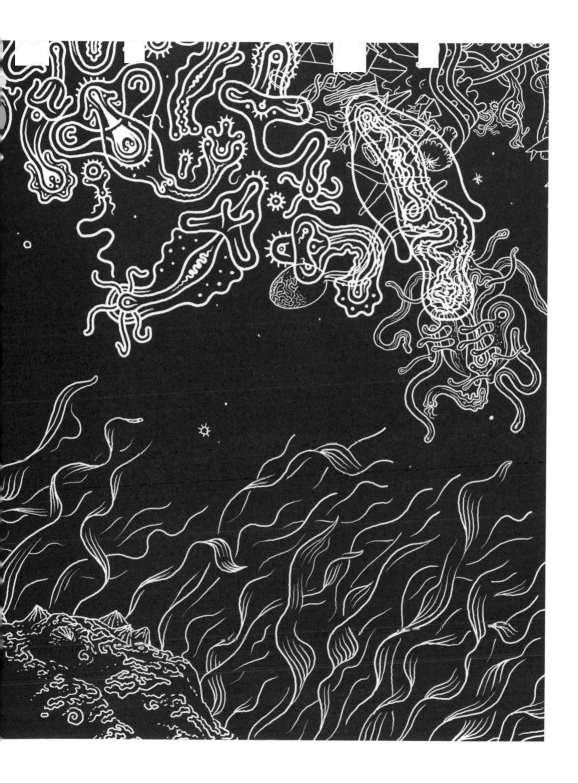

ENQUÊTE

Tu n'as pas perdu ton temps. Un numéro de plaque, un nom de société, il ne t'en faut pas plus pour retrouver toutes les informations que tu souhaites. AB Medi, si le nom te semblait familier, c'est parce que c'est l'organisme de contrôle médical de la boîte qui t'employait, quand tu gagnais ta vie dans le télémarketing. Quand tu décrochais le téléphone pour répondre aux plaintes des consommateurs. En pratique, tu aidais les clients d'un grand groupe de supermarchés à déchiffrer les étiquettes et les instructions des produits vendus dans la boutique. Tu détestais ton boulot, comme tout le monde. C'est ce qui t'a décidé à te lancer comme détective. Puis tu aimais déjà l'action. Noémie dirait que tu es fonceur et irréfléchi ; tu préfères penser que tu es sportif et cérébral. La preuve, tu ne t'es pas contenté des apparences, tu as rapidement découvert que le groupe AB Medi rassemble une nuée de services, répartis aux quatre coins du pays. La chance est avec toi, cependant, car tu trouves sur internet l'interview du responsable de la gestion du parc automobile. Trois cents véhicules au total, dont la plupart sont de simples voitures individuelles, puis des fourgonnettes de livraison et, enfin, cinq camionnettes plus volumineuses dédiées au service des prélèvements de terrain. Ça doit être l'un de ceux-là. Si l'on en croit le responsable, ces derniers véhicules sont rattachés à une filiale à la lisière de la ville. Tu regardes l'heure sur ton PC, il ne t'aura pas fallu plus d'un quart d'heure pour trouver l'information que tu cherchais.

Tu gares ta voiture dans une rue adjacente. À première vue, le site ne semble pas surveillé. Tu sors ton appareil photo de poche, tu mitrailles la longue façade surmontée d'un toit presque plat, puis tu t'éloignes. Quelques centaines de mètres plus loin, tu regardes les prises de vue sur l'écran de l'appareil et tu zoomes au maximum. Tu finis par repérer une volée de caméras miniatures dissimulées sous la corniche. Le parking est en plein air, personne n'est en vue. Si tu parviens à escalader la clôture grillagée, tu pourras sans doute te dissimuler derrière les véhicules tranquillement alignés. Tu ne réfléchis pas beaucoup plus loin, tu reviens sur tes pas, tu prends ton élan et tu agrippes la clôture. Tu la franchis sans difficulté et tu te rétablis derrière une Renault Mégane aux couleurs du labo. Tu jettes un œil par-dessus le capot. Tout est calme. Tu utilises ton appareil photo pour repérer les plaques de trois camionnettes rangées près du portail grillagé. Bingo. Celle que tu as aperçue ce matin est bien là. Tu traverses le parking accroupi et tends la main vers la poignée de la portière arrière. Elle n'est pas fermée. Tu ne perds pas de temps et tu te glisses à l'intérieur.

La surprise est de taille.

Ce n'est pas une camionnette de transport comme tu l'imaginais. Tu découvres une table d'opération équipée de sangles pour maintenir un corps en place, des armoires de stérilisation, des outils de chirurgie et du matériel d'anesthésie. Même si tu n'es pas médecin, tu comprends qu'il y a là bien plus que le nécessaire de prélèvement biologique habituel. C'est un véritable bloc opératoire sur roues.

Du sang pas encore complètement coagulé ne laisse que peu de doute : si c'est ton arrière-grand-mère qu'on a maltraitée sur la table, on ne lui a pas fait une simple prise de sang… Tu mitrailles l'intérieur de la camionnette, puis tu sors en vitesse.

C'est là que tu tombes nez à nez avec deux gardes de sécurité en uniforme. L'un aussi large et massif que le capot d'un quatre-quatre, l'autre plus grand mais tondu au rasoir. C'est lui qui pose tout de suite la main au talkie-walkie. Tu réfléchis si vite que tu as l'impression que tes neurones se transforment en autoroute à seize bandes.

— Ça va, ça va, je sors, ne vous inquiétez pas, dis-tu en empochant discrètement ton appareil photo.

Le grand chauve lâche son micro et pose la main sur ton sac à dos.

— Vous êtes dans un domaine privé, c'est une violation de domicile. On ne rigole pas avec ça.

— Par où est-ce que vous êtes entré ? ajoute l'autre.

— C'est bon, je m'en vais, tentes-tu sans trop d'espoir. Je voulais juste faire des photos pour un décor de cinéma, ce n'est rien de grave.

— Des photos ? rugit le chauve. Ses yeux semblent jaillir de son crâne.

— Ben oui, pour les décors d'un film de morts-vivants, je dois reconstituer l'intérieur d'une ambulance et une salle d'opération.

Le gros sourit.

— C'est une histoire de zombies ?

On dirait que deux écrans télés viennent de s'allumer dans ses yeux. La tension semble soudain baisser d'un cran. Mais tu ne sais s'il s'agit d'un répit momentané ou d'une véritable embellie.

— Vous lui faites une blague ? demande le chauve, qui n'a pas l'air content du tout. C'est une caméra cachée, c'est ça ?

— Ben, non, reprends-tu, c'est la vérité, je suis décorateur pour le cinéma. Et, oui, je prépare un film de zombies.

— Putain, c'est trop cool, ça.

C'est bien ta veine. Le gros est collectionneur de figurines de zombies. C'est sa passion. Il les achète aux États-Unis via Internet. Les revend à des Espagnols et des Allemands. Il te tient la jambe si longtemps que son collègue est obligé de partir seul pour le reste de la ronde. Il te signale tout de même que s'il te revoit dans le coin, il t'amène direct chez les flics.

Le gros te rassure.

— C'est une grande gueule mais il ne fera rien du tout. Si vous voulez prendre des photos, je peux vous appeler cette nuit, quand je serai seul à surveiller les bâtiments. Je peux vous montrer l'intérieur, il y a des trucs de dingue, là-dedans.

C'est toi qui commences à te demander si tu n'es pas tombé sur une caméra cachée…

Tu lui donnes ton numéro de portable, il te donne le sien.

Tu repars en sautillant. Cette fois, la chance est de ton côté.

CONSEIL  D'ADMINISTRATION

La réunion traîne en longueur. Passé la demi-heure, Michael Molitor ne tient plus en place. Il a perdu l'habitude des séances interminables, des palabres et des circonlocutions. Il veut que les choses aillent vite, il aime quand on les sent avancer.

Les cinq hommes réunis autour de la table se ressemblent, ils ont la mâchoire carrée et les tempes grisonnantes. Ils portent des costumes taillés sur mesure et des cravates en soie, ils arborent des dents blanches et des montres impayables.

Michaël Molitor a consulté son poignet à plusieurs reprises, la montre-bracelet au cadran numérique extra-large est implacable : elle détaille l'agenda des heures à venir. Il est hors de question de s'embourber ici une minute de plus. De toute façon, il n'a pas vraiment le choix, dans deux minutes sans faute, le servo-moteur de ses jambes va s'activer, suivi du système dorsal, et il se lèvera, quoi qu'il arrive, pour sortir de la pièce. Rien ne sert de résister, il a déjà tenté de le faire une fois et n'est parvenu à rien. Malgré les séances quotidiennes d'entraînement sur les engins de la salle de gym, ses muscles ne peuvent lutter contre les vérins et les rouages électriques. Sans reprogrammation, son exosquelette — cette sorte de scaphandre mécanique qui lui entoure discrètement les jambes sous le pantalon hors de prix — aura toujours le dernier mot.

– Michaël, vous nous laissez déjà ? Nous allons passer au vote dans quelques minutes…

Tandis qu'il se dirige vers la double porte capitonnée, Michaël Molitor fait un geste évasif de la main gauche, pour balayer les détails et laisser le soin aux quatre autres porteurs de cravate de s'en occuper à sa place.

– Je viens de recevoir un message d'une urgence redoutable. Il faut que je file.

Sans écouter les récriminations, d'un pas un peu raide, Michaël traverse le couloir où les deux secrétaires le saluent, franchit une nouvelle double porte et pivote pour faire face aux ascenseurs. Il consulte la montre-bracelet, elle détecte l'arrivée de l'ascenseur de gauche, le corps se met en place, la cabine se présente et l'homme d'affaire se laisse porter jusqu'au deuxième sous-sol où son imposante voiture de fonction l'attend.

C'est un lourd quatre-quatre aux vitres sombres, les feux orange clignotent à son approche, la portière se déverrouille et s'ouvre, il prend place sur le siège conducteur tandis que la portière reprend sa place en un léger cliquetis. La ceinture se boucle et, avant même que Michaël n'ait eu le temps de jeter un œil dans le rétroviseur, le véhicule entame la marche arrière, repart en avant en direction de la pente qui mène à l'étage supérieur.

APRO

Rien ne sert d'avoir une voiture de luxe pour impressionner les clients du club de golf. Ici, il faut arriver en hélicoptère ou entouré de femmes à demi-nues pour faire tourner les têtes. Rangé entre les autres engins haut de gamme, le quatre-quatre semble presque modeste. Personne n'imaginerait qu'il est équipé d'un ordinateur de navigation entièrement automatique et d'une volée de prototypes en tous genres dont la liste serait trop longue à énumérer ici.

— On boit quelque chose, avant de commencer ?

Le barbu à la bedaine imposante est déjà assis au bar, sa proposition sonne comme un ordre.

— Tu sais, Franck, de toute façon, les dix-huit trous, pour moi, ça ne prend pas plus de dix-huit coups. Si tu as soif, on peut boire après la partie, ça ne nous prendra pas plus de dix minutes…

Le barbu rigole et balance une tape amicale dans le dos de Michaël.

— Tu aurais dû te changer. Le costume trois-pièce, ce n'est pas très apprécié, ici, on ne vient pas au club déguisé en businessman.

— Je n'ai pas eu le temps de me changer, la voiture était programmée et je n'ai pas réussi à enclencher le contrôle manuel.

— C'est tout simple, je t'ai déjà expliqué dix fois. Ça va mieux, sinon, la conduite ?

— Pas du tout, répond Michaël après avoir commandé un double cognac, j'angoisse toujours autant.

Le barbu sourit et commande un Perrier-menthe.

— C'est difficile, j'imagine, d'accepter de perdre le contrôle et de faire confiance aux machines.

— Oui, c'est vrai. Mais le jeu en vaut la chandelle.

Franck le regarde droit dans les yeux.

— C'est une question que je n'ai jamais osé te poser mais pourquoi est-ce que tu tiens tellement à devenir immortel. Tu as peur de la mort ?

Michaël éclate de rire et balance une bourrade dans le dos du barbu.

— Peur de la mort ? Non, qu'est-ce que tu crois ? J'ai juste envie de voir ce que c'est d'être le tout premier à vraiment passer à la postérité. À dépasser les limites de la nature.

— Ouais, en théorie, je te comprends mais tes enfants, ils pensent quoi de ça ?

— Je n'ai pas d'enfants, Franck. C'est bien ça le problème. Je croule sous le fric… Les filles, c'est bien mais le cul tu t'en lasses vite. Je n'aime ni l'art contemporain ni les yachts. C'est quand même autrement bandant de se dire que je vais être le Christophe Colomb de l'immortalité. Si on te le proposait, tu refuserais, toi ?

Franck se frotte la barbe.

— Je ne sais pas, la question ne se pose pas. Je suis juste un chercheur en robotique, je n'ai pas les mêmes moyens que toi. Ce qui m'amuse, c'est de voir jusqu'où on peut pousser la limite entre l'homme et la machine. C'est là-dessus que je travaille et ça me passionne.

— Est-ce que ça te passionne au point de ne jamais prendre ta retraite ?

Franck ne sait que répondre.

— Moi, la vie me passionne à ce point-là. J'ai pas envie que dans trente ans la mort vienne tapoter mon épaule pour m'empêcher de m'amuser. Si je peux être plus fort qu'elle, je suis prêt à tenter le coup. Michaël avale son verre d'un trait, comme s'il s'agissait d'un verre d'eau et commande un deuxième, identique au premier.

— Oh, là, doucement sur l'alcool, tout de même.

— Ah, non, proteste Michaël, c'est le plus gros avantage : je peux être bourré comme une pipe, je fonctionne au maximum de mes capacités. Enfin de celles de mon exosquelette.

— Oui, mais la police ne demandera pas aux servomoteurs de souffler dans le ballon sur le chemin du retour.

— On en a pour quelques heures, tout de même, non ?

— Ça dépend, reprend le gros Franck. Si tout roule, ça peut aller vite. S'il y a des pépins, c'est plus compliqué à prévoir, en effet.
Il vide son verre à son tour et quitte le bar en compagnie de l'homme d'affaires.

DÉMONSTRATION

Il n'y a rien de compliqué. Michaël a changé de tenue et enfilé sous son chandail l'attirail de renforcement musculaire pour les bras, qu'il raccorde à son système central de données cérébrales. Franck a mis en place le matériel de mesure et une caméra pour filmer l'expérience. Mais le résultat est visible à l'œil nu et se passe de commentaires. Michaël se place au départ du parcours, les pieds légèrement écartés, pose la balle sur le tee et respire l'air à grandes bouffées en regardant distraitement le drapeau d'arrivée, planté à côté du trou. Il laisse sa main choisir le fer idéal tandis que les capteurs évaluent le vent et le terrain. Les bras se mettent en place, se lèvent, s'arrêtent et, toc, le coup est frappé, la balle traverse les airs, retombe sur le sol, roule et vient s'enfoncer, à chaque fois juste dans le trou, quelles que soient la distance et la difficulté.

Au troisième trou, une poignée de curieux, quelques petits vieux en pantalons à carreaux et gants blancs et une brunette en robe légère et lunettes miroir, ne quittent plus Michaël des yeux. Au cinquième trou, ils sont une trentaine.

Franck est obligé d'écarter les gens qui souhaitent poser des questions au golfeur :

— Désolé, mais Monsieur El Baradino n'a pas beaucoup de temps cet après-midi, il reprend son jet vers Malaga dans vingt-cinq minutes.

Puis, à voix basse, il s'adresse à Michaël :

— Si on veut garder le projet discret, on ferait mieux de ne plus jouer que sur terrain privé. Ou bien de louer un dix-huit trous pour toi tout seul. Ici, en tout cas, il y aura des photographes la prochaine fois qu'on débarque. S'ils ne sont pas déjà en route.

— C'est déjà trop tard, Franck, il n'y a plus besoin de paparazzi, de nos jours, les gens ont tous une caméra intégrée. Pas encore dans le bras, mais dans leur téléphone.

Franck tourne la tête et réalise seulement que plusieurs personnes filment la scène avec leur portable.

— Qu'est-ce que je fais ? Je leur demande d'effacer tout ça ?

— C'est ton problème, ça, Franck, moi, je paie assez cher pour ne pas devoir me soucier de tout cela. Et il s'éloigne vers les vestiaires à grands pas, prêt à se changer une nouvelle fois.

Le test n'aura pas duré beaucoup plus de dix minutes.

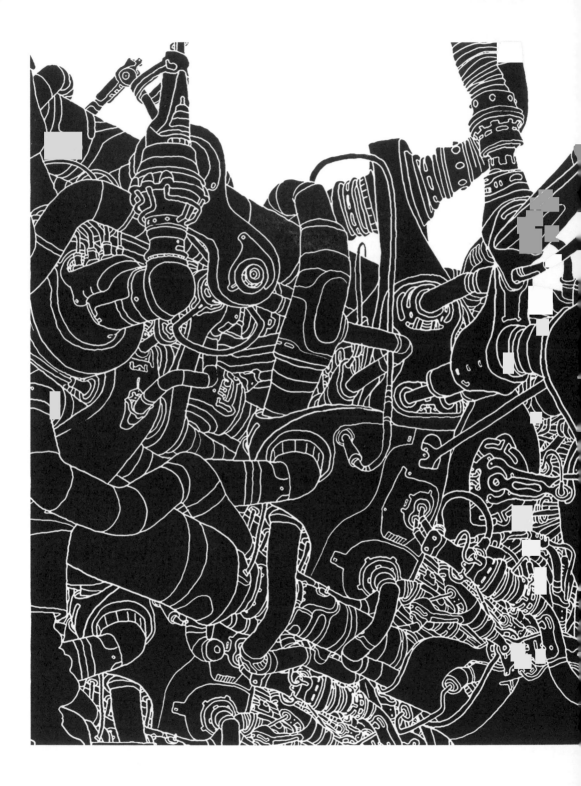

TRAJET

Tant mieux. Le cadran de l'ordinateur-bracelet annonce le rendez-vous prévu dans moins d'une heure chez le nutritionniste, de l'autre côté de la ville. Michael doit se présenter au rendez-vous en compagnie de ses deux cuisiniers et de son entraîneur personnel. Les recommandations, il les connaît déjà : abaissement des apports caloriques, régime méditerranéen et cocktail de compléments vitaminés. Vite, avaler un double cognac supplémentaire avant d'affronter le diététicien et son programme alimentaire pas mondial du tout. Michaël y ajoute deux barres chocolatées pour se féliciter de l'assiduité avec laquelle il suit son régime draconien.

Installé au volant de sa voiture, il se laisse guider dans les embouteillages et en profite pour consulter les statistiques de son navigateur. Trois kilomètres et près de huit cents mètres de marche depuis le matin, des trajets répétitifs dans 64 % des cas, prises en charge par le navigateur et les servomoteurs de jambes pour 58 % Franck dirait qu'on doit pouvoir faire mieux. L'objectif, à moyen terme, est d'effectuer la totalité des trajets répétitifs en pilotage automatique.

Le téléphone sonne, la voix est enjouée, on dirait celle d'un animateur de goûters d'anniversaire.

C'est le secrétaire personnel du professeur Karinthy. Michaël s'éclaircit la voix et répond avec le plus beau des sourires.

— Le professeur aimerait vous recevoir au plus vite, Monsieur Molitor, nous avons de nouvelles informations à vous communiquer au sujet du projet Prométhée. Il va falloir revoir le calendrier.

Michaël sent son cœur s'arrêter l'espace d'une seconde. Il a la gorge sèche et ses doigts se cramponnent au volant. Il déglutit avant d'ânonner.

— Vous allez m'annoncer du retard ?

— Je ne peux rien vous dire de plus précis, c'est le professeur lui-même qui vous donnera tous les détails.

Michaël ne voit plus la circulation. Pour une fois, le prototype de pilote automatique lui est bien utile. Il garde les yeux rivés sur les rues qui défilent derrière les vitres mais c'est comme si un brouillard épais brouillait sa vision. Son cerveau échafaude des hypothèses. Le professeur veut-il retarder l'ensemble du projet ou cherche-t-il simplement à gagner du temps ? Est-il tombé sur un obstacle insurmontable ou rencontre-t-il un problème d'agenda ? Michaël voudrait le savoir au plus vite. Il imagine déjà le pire : la transplantation des organes internes reportée aux calendes grecques, la duplication mémorielle et l'acclimatation du cerveau synthétique mises en stand-by… Combien de millions d'euros a-t-il déjà investi dans ce projet ?

Un bip aigu et répété tire l'homme d'affaire de ses pensées. Deux leds rouges clignotent sur la montre-bracelet. Nervosité alarmante, taux de stress excessif, il faut respirer profondément, enfiler le casque, fermer les yeux.

Le bruit du vent et de la mer s'insinue dans les écouteurs, ponctué de temps à autre par le léger cri d'un oiseau exotique. Une voix de femme, chaude et suave, s'élève avec fermeté.

Vous êtes bien, Michaël, vous sentez la force du sable remonter par vos pieds nus le long de votre peau. Le vent caresse vos cheveux et se glisse sous votre légère chemise de lin blanc…

La voix de cette femme excite Michaël bien plus qu'elle ne l'apaise. Il faudra qu'il en touche un mot au professeur tout à l'heure. Les érections ne sont sans doute pas le meilleur remède contre le stress. Mais elles sont toujours bonnes à prendre. Alors Michaël ferme les yeux un peu plus fort et laisse la voix grave et troublante le guider vers la paix intérieure.

TÊTE-À-TÊTE

Autant dire que Michaël n'a rien écouté de ce que racontait le nutritionniste. Il s'est contenté de hocher la tête, de se laisser mesurer sous toutes les coutures et de signer les différentes décharges que le médecin lui tendait dans un signataire relié en cuir pleine peau.

Il espère que ses deux cuisiniers ont prêté attention aux nouvelles recommandations et qu'ils trouveront autre chose que les légumes à la vapeur et les céréales bouillies pour répondre aux exigences du cahier des charges.

La salle d'attente du professeur Karinthy ressemble comme deux gouttes d'eau au lobby d'un hôtel de luxe : lourds fauteuils de cuir aux armatures d'acier chromé, plantes vertes naturelles traitées avec soin, sol de marbre et gigantesques tableaux abstraits accrochés au milieu de murs sans charme. La principale différence avec les autres cabinets médicaux qu'il fréquente, c'est la lecture. Ici, pas de magazines à sensation périmés entassés sur une table basse mais une bibliothèque très sobre où s'alignent les vingt-deux premiers numéros de la revue «*Éternité*» que dirige le professeur et qu'il ne diffuse que dans un cercle très restreint de chercheurs associés et de clients triés sur le volet. Michaël a déjà fait l'objet de plusieurs articles. Il est assez jaloux d'un industriel russe, un jeune type à lunettes rondes, qui détient le record. Lui aussi est inscrit au programme Prométhée mais avec plusieurs années d'avance. C'est lui qui est en première ligne pour les expériences les plus novatrices. Michaël sait que la date d'inscription n'explique pas tout : le Russe a investi des sommes colossales dans le projet du professeur Karinthy, il dépense sans compter car sa fortune repose sur l'exploitation, entre autres, des ressources énergétiques des anciennes républiques soviétiques. Michaël ne peut pas rivaliser avec un budget pareil. Sa fortune, lui, il l'a développée en une quinzaine d'années, en imaginant puis commercialisant un système de vérification bancaire qui a permis d'assurer le développement des achats en ligne par cartes de crédit. Grâce à ses brevets, n'importe quel commerçant sur le web peut vérifier la validité des cartes et s'assurer que la somme sera effectivement versée sur son compte. Pour un montant minuscule, deux pour mille de la somme transférée. Mais deux pour mille sur des milliards, cela représente beaucoup beaucoup d'argent au final. Molitor a cédé son invention à plusieurs groupes financiers, il ne doit plus travailler, il se contente de siéger, de temps à autre, dans des conseils d'administration ennuyeux, de lever la main quand c'est nécessaire et d'écouter, surtout, les bruits de couloir, pour être au courant des bonnes affaires qui se profilent.

Il a toujours eu du flair. Il sait que son imagination et sa capacité d'analyse sont supérieures à la moyenne. C'est cela, notamment, qu'il veut préserver. Puis son nom, aussi, et son image, pourquoi pas. Si on le laissait faire, à vrai dire, il conserverait tout, tel quel, ses maîtresses et ses beuveries, ses voyages en jet privé, il recommencerait même tout au début, la rencontre avec sa femme (il en profiterait pour changer le contrat de mariage, ça simplifierait le divorce par la suite), la première société foireuse (une faillite, la première d'une longue série) puis la première idée qui rapporte (un site web dédié aux enfants, à l'heure où

Internet n'était encore qu'un outil de travail réservé aux professionnels, revendu ensuite à prix d'or à un fournisseur d'accès), la première couverture de magazine, puis les autres, aussi, les discussions avec les Coréens, les Chinois et les Américains, les projets qui se multiplient pour arriver enfin à la découverte du projet Prométhée et des équipes du professeur Karinthy.

La première rencontre est souvent la plus marquante. Dans le cas du professeur, Michaël Molitor ne sait toujours pas quand elle aura enfin lieu. Jusqu'ici, il n'a jamais eu droit qu'à des vidéoconférences.

Michaël entend le déclic caractéristique des servomoteurs qui se déclenchent. Il se redresse et s'avance vers la porte qui s'ouvre. Le secrétaire du professeur, un grand type hypermusclé au crâne rasé, costume beige et oreillette, s'avance dans l'ouverture.

— Installez-vous, Monsieur Molitor. J'ai allumé l'écran. Le professeur ne va pas tarder.

Le mur du fond du bureau sert d'écran de projection, Molitor n'a pas le choix, il suit le mouvement de son exosquelette et prend place dans le seul siège de la pièce.

— Je vous laisse, reprend le secrétaire. Le professeur a insisté pour vous parler en tête à tête.

D'un mouvement de la main droite, le secrétaire réduit l'éclairage et s'éloigne sur la pointe des pieds.

— Si vous avez besoin de quoi que ce soit, appelez, je suis à l'autre bout de l'interphone.

Il sort de la pièce et la porte, sans un bruit, se referme en coulissant. L'écran grésille un instant. Michaël sourit. C'est une de ses théories personnelles préférées : les nouvelles technologies, si elles veulent assurer leur succès auprès du public existant, doivent à la fois innover sur des aspects très visibles et conserver les petits défauts familiers qui rendaient les appareils qu'elles remplacent si intimes. Il faut conserver le ton d'appel du téléphone même sur Internet, il faut que les écrans aient des ratés à l'allumage et que l'on entende tourner le ventilateur des ordinateurs. Les écrans doivent afficher des parasites à l'allumage, c'est indispensable pour qu'on ne confonde pas les images en haute définition avec de vulgaires affiches.

L'image apparaît en une fraction de seconde, à l'ombre d'un palmier, la silhouette du professeur se détache en contre-jour sur fond de piscine immense et de ciel bleu vif.

— Bonjour, Michaël. Je sais que votre temps est précieux, je ne vais pas en abuser.

L'accent d'Europe centrale du professeur Karinthy est reconnaissable entre mille, une façon unique de rouler les r, de prononcer les é comme des è et d'articuler chaque syllabe avec la précision d'un chirurgien.

— Bonjour, Professeur.

— Je ne suis pas très content de vous, Michaël. J'ai consulté les différents rapports et j'ai l'impression qu'il y a du laisser-aller. Vous voyez à quoi je fais allusion ?

Michaël fixe l'écran sans bouger. Il n'est pas question qu'il réponde.

— Bon, je ne vais pas dresser une liste exhaustive. Disons juste que les trois passages au Mc Do en une semaine et les verres d'alcool avalés à la chaîne ne font pas partie du régime préconisé. Pas plus que cette fâcheuse habitude de laisser l'exosquelette courir à votre place pendant une heure vingt sur le tapis d'exercice pendant que vous regardez le tennis avachi dans le divan à côté.

Michaël n'est pas très fier de tout cela, en effet.

— Vous devriez comprendre qu'avec le système de navigation qu'on vous a implanté et le programme de réduplication neuronale dans lequel vous êtes inscrit, rien de tout cela ne peut passer inaperçu. Michaël le sait bien. Mieux que personne, sans doute. Mais s'il suffisait de savoir…

— Youri Kalchov atteint de bien meilleurs résultats que vous parce qu'il est beaucoup plus assidu. Il ne triche pas, lui.

Aïe. Le coup fait mal. C'est l'amour-propre qui encaisse. Michaël voudrait se lever, empoigner le professeur par le col et lui dire sa façon de penser.

— Oh, je sens que je vous énerve, Michaël. Ça bouillonne en vous. C'est très bien, à petite dose. Le stress, légèrement saupoudré, maintient l'organisme dans son état optimal. C'est l'excès de stress qui est nocif. Nous allons passer bientôt à une étape cruciale, j'ai besoin de votre meilleure motivation. Il faut impérativement respecter les recommandations et les protocoles, sans cela, le projet peut être mis à mal à n'importe quel moment.

Le ton est menaçant, la voix du professeur se fait plus forte.

— Sinon, au lieu de prolonger la vie d'une personnalité éminente, c'est un amas de cellules cancéreuses que je vais cloner à l'infini, un nid à tumeurs, une aberration biologique !

Le professeur reprend son ton posé, tandis que Michaël s'enfonce dans le siège. Il aimerait être invisible.

— C'est ce qui est arrivé à Kanok, le gorille sur lequel nous avons tenté d'implanter le cerveau artificiel.

— Kanok ? Mais vous me l'aviez présenté comme votre plus belle réussite. Je pensais que son cerveau était implanté depuis longtemps…

Le professeur Karinthy lève la main pour faire taire son interlocuteur.

— Les six premiers mois se sont passés sans le moindre problème. Mais ensuite, nous avons assisté à une dégénérescence fulgurante. Le cerveau tout neuf que nous avions fabriqué sur mesure a flétri en quelques heures, comme un fruit blet qui a reçu un coup pendant le transport. Une petite tache un jour et le fruit est pourri jusqu'au noyau le lendemain. La tumeur a tout bouffé.

— Et Kanok ?

— Il est mort en vingt-quatre heures… C'est pour cela que j'insiste pour que vous suiviez tous les protocoles à la lettre.

Michaël se lève d'un bond et marche vers l'écran, un doigt menaçant dressé en direction du professeur.

— Mort ! Votre singe éternel est mort et vous voulez que je poursuive le régime de malade que vous m'infligez depuis des mois ? Mais vous avez perdu la raison, professeur. Je vais aller trouver vos concurrents aux États-Unis, je ne vous donnerai plus un euro et j'irai proposer mon soutien aux équipes qui cryogénisent les stars du cinéma en attendant la vie éternelle.

— Asseyez-vous, Michaël.

Le ton est extrêmement calme, quasi hypnotique. Michaël sent les servomoteurs qui le contraignent à rejoindre le siège.

Il est entre les mains du professeur, désormais, il devrait le savoir.

— Vous savez très bien que je suis la seule personne au monde capable de prolonger votre vie. Je vous propose même d'être le premier humain à se réincarner de son vivant, c'est une chance exceptionnelle. Vous seriez trop bête de la refuser. Il suffirait que je passe un coup de fil à Youri Kalchov pour qu'il se porte volontaire. Une première pour l'humanité, vous imaginez…

Michaël Molitor retient sa respiration. Il ne peut empêcher un sourire de fierté d'envahir son visage et celui-là n'est en rien dû aux servomoteurs de son exosquelette. Le professeur Karinthy conclut.

— Nous allons procéder à une répétition générale de la vie éternelle, nous allons greffer votre système cérébral sur un autre corps humain. Nous avons repéré le donneur idéal. Ce n'est plus qu'une question de jours avant que l'opération ne puisse être mise en route. Plus de fast-food, Monsieur Molitor. Plus que des légumes à la vapeur, vos compléments vitaminés et de l'eau du robinet.

INSOMNIE

Tu es assis dans ton lit, ton torse nu dépasse des draps. Tu as bien tenté de lire ce roman policier slovène qui raconte les ravages d'une bactérie mortelle dans un internat pour orphelins de guerre, tu t'es passionné un temps pour la prolifération de cette version particulièrement redoutable de l'E. Coli, pour la façon sournoise dont le vieil intendant serbe tente de liquider les descendants de ses anciens ennemis de guerre à travers des soupes au champignon infectée et des desserts sirupeux, mais tu as vite laissé tomber. Ton esprit est ailleurs, tu voudrais repartir sans attendre pour explorer les bâtiments d'AB Médi, découvrir l'arrière du décor, les coulisses de cette prétendue société d'analyse médicale.

Noémie a fini par se réveiller elle aussi.

– Qu'est-ce que tu crois qu'ils lui ont fait, à ta mémé ?

– Je n'en sais rien, j'ai du mal à imaginer. Je suis retourné la voir cet après-midi. Elle a repris des forces, elle se plaint juste d'avoir très mal aux fesses et dans le ventre.

– Ce n'est quand même pas… ?

Noémie est presque aussi pâle que le drap de lit est froissé. Tu la regardes et tu attends un peu avant de corriger sa pensée.

– Non, Noémie, je ne pense pas qu'on lui a fait subir des sévices sexuels. Le monde est rempli de tarés mais tout de même, personne n'est assez malade pour vouloir coucher avec mon arrière-grand-mère ou, pire encore, la bourrer de médicaments pour la violer ensuite.

Tu arrêtes ta phrase et ta pensée d'un seul coup. Tu n'as pas envie d'aller plus loin dans les détails malsains.

Noémie lâche un soupir de soulagement, elle serre ta main.

— Tu es sûr qu'il n'y a pas d'allumés capables de faire des trucs pareils ?

— C'est dans les films qu'on imagine des histoires comme ça. Dans la vraie vie, on ne croise pas des gens aussi tordus.

Tu sais très bien que les pires monstres existent dans cette vie aussi. Si tu ne les croises pas, c'est parce que tu tries ta clientèle et que tu n'aimes pas trop t'aventurer dans les terrains boueux et le hors-piste. Tu préfères rester dans les coins plus ou moins civilisés, là où l'on entend les talons claquer sur les pavés, même en plein cœur de la nuit. N'empêche, cette image te reste. Et si on avait abusé sexuellement de ton arrière-grand-mère ? Qu'est-ce que tu ferais ? Si elle ne se souvient plus de rien, c'est peut-être qu'on lui a fait avaler une de ces molécules qui bousillent la mémoire et rendent docile… La drogue du viol ?

Tu as la bouche sèche.

— Tu veux boire quelque chose ? Je vais me chercher une bière.

— Brosse-toi les dents après alors, chéri. C'est plein de sucre, ces trucs-là.

Tu marches jusqu'à la cuisine et c'est au moment où tu ouvres la porte du frigo que ton téléphone crépite pour annoncer l'arrivée d'un message.

À 1h, la porte de secours sur le parking arrière sera ouverte. Soyez ponctuel.

Tu refermes la porte sans prendre la bière. Tu files jusqu'au lit, tu embrasses Noémie et tu lui expliques que tu dois filer au plus vite. Elle te regarde d'un drôle d'air, comme si tu partais en rejoindre une autre. L'idée te fait sourire. Tu empoches ton appareil photo, ta caméra et tu enfiles le sac à dos avec ton matériel d'effraction. On ne sait jamais. Deux minutes plus tard, tu es déjà au volant et tu traverses la ville endormie.

INTRUSIN

La suite va très vite. La grille est entrouverte, tu te faufiles sans bruit jusqu'à la porte arrière. Tu jettes un œil vers la rue, tout est calme, alors tu entres sur la pointe des pieds. Le rayon de ta lampe torche balaie un mur de garage, tu cherches une porte qui donne vers l'intérieur du bâtiment quand un déclic dans ton dos te glace le sang.

On vient de refermer la porte derrière toi. Tu fais volte-face pour découvrir qui se tient dans le noir dans ton dos mais tu n'es pas assez rapide. Le coup t'atteint à l'arrière du crâne et tu perds pied en même temps que connaissance.

Tu te réveilles dans une petite pièce sans fenêtre, allongé sur un lit d'hôpital, les poignets et les chevilles fermement sanglées. Une paire de tubes au néon éclaire la porte de métal et une table, dans un coin, où quelques papiers semblent attendre que tu viennes les signer. Tu serais bien en mal de te lever. Tu parviens à peine à bouger les épaules et le bassin. On s'est servi de matériel d'immobilisation professionnel, du genre de celui qui entrave les forcenés dans les asiles, pour te clouer au lit. On dirait bien que tu t'es fait avoir comme un bleu. Et qu'on ne te veut pas que du bien. L'idée te fait blêmir mais tu n'as pas le temps de la creuser car la porte s'ouvre.

    – Monsieur Vidal, je suis ravi de vous revoir !

C'est le faux directeur de la maison de repos. Il a gardé le même costume et le même air de faux jeton. Tu lui enverrais bien ton poing dans la figure mais c'est impossible dans ta position.

— Si vous saviez depuis combien de temps j'entends parler de vous ! Il affiche un sourire crispé et un air supérieur qui font bouillonner ton sang. Tu ne supportes pas ce genre de personnage bouffi d'arrogance. Tu le vois tirer la chaise et s'asseoir calmement. Il tire un paquet de cigarettes de sa poche et t'en propose une. La cigarette du condamné ? Tu préférerais être déjà mort qu'accepter quoi que ce soit de ce barbu aux yeux porcins.

— Je ne vais pas tourner autour du pot, Monsieur Vidal. Le temps joue contre nous. Dans quelques heures, vous allez avoir l'honneur de prendre part à ce qui pourrait être une des avancées les plus capitales dans l'aventure humaine.

Tu ne vas pas le laisser dire sans résister un peu.

— Vous allez envoyer un chien sur Mars ?

— Non, nous allons utiliser votre patrimoine génétique et bactérien pour prolonger la vie d'un de nos clients.

INTERVIEW

♦ *4*

— Professeur Karinthy, une dernière question, avant de vous laisser à vos travaux. Est-ce que vous vous souvenez d'une rencontre qui vous a donné le goût de la recherche et a suscité votre vocation ?

Le professeur s'approche de la caméra et sourit.

— Une rencontre, je ne sais pas… Je me souviens des discussions interminables avec un ami ingénieur, plutôt doué. Il prétendait que l'ambition ultime de l'être humain était de quitter cette planète pour coloniser les autres. Il pensait que la civilisation humaine pourrait se prolonger indéfiniment, faisant étape d'une planète à l'autre. Mais le projet le faisait rire car à ses yeux nous faisions tout à l'envers. Les gens croient qu'on construit des fusées pour aller sur la lune, alors qu'en réalité, nous ne sommes sur terre que pour envoyer des fusées et des robots sur les autres planètes. Il disait que les hommes sont revenus sur terre mais que les engins, eux, sont restés dans l'espace. L'homme a visité la lune, disait-il, les machines l'ont colonisée. Il n'avait pas tort mais il se trompait tout de même sur un point. On ne l'a découvert que bine plus tard. Ce ne sont pas les machines qui ont envahi le satellite ; ce sont les bactéries. Pour amener l'homme sur la lune, on a posé un engin terrestre qui n'avait pas été stérilisé. Sans le vouloir, l'humanité a amené la vie sur la lune : la vie bactérienne. Plus la peine de chercher la preuve d'existences extras-terrestres. Aujourd'hui, sur la lune, il y a de la vie à coup sûr. Les bactéries ont posé le pied et, pour peu qu'elles trouvent un peu de nourriture, elles sont parties pour durer. Et sur une lune, il doit y avoir de quoi les nourrir.

— C'est ça qui vous a donné envie de faire de la recherche ?

— Non, c'était trop tard dans ma carrière, j'étais déjà passionné. Mais, aujourd'hui encore, je refuse d'accepter que le plus grand exploit de l'homme aura été d'exporter les bactéries terrestres dans les autres planètes du système solaire. Les bactéries sont nos alliées, elles sont en chacun de nous, il faut encore les étudier pendant de nombreuses années pour découvrir tous les secrets qu'elles cachent. Et qui nous aideront, qui sait, à durer beaucoup plus longtemps.

— Ce sera le mot de la fin. Merci, professeur Karinthy.

EXPÉRIENCE

Le docteur Gomez est content des premiers résultats. Le professeur Karinthy avait raison : il ne suffit pas de dupliquer le patrimoine génétique d'un être humain ou de remplacer ses organes fragiles par des copies artificielles pour duper la nature. L'homme n'est jamais indépendant du milieu dans lequel il évolue. Et il ne suffit pas de réduire ce milieu à l'environnement externe, c'est simpliste. Le plus important, l'expérience de Kanok l'a démontré, c'est de tenir compte aussi du milieu développé *à l'intérieur même* de l'individu.

Dans toutes ses tentatives de créer des êtres de synthèse, Gomez avait jusqu'ici omis l'essentiel. Il faut désormais recréer non seulement les mécanismes et systèmes qui composent l'humain mais aussi la vie qu'il transporte en lui.

Et celle-là, il ne peut pas l'inventer. Les milliards de bactéries qui habitent un individu lui sont presque aussi propres que l'ADN qui traverse ses cellules. La colonie reste à peu près identique à travers l'existence, quels que soient les accidents. On peut vider le système digestif, le racler, le truffer d'antibiotiques, en quelques semaines à peine, la population bactérienne est de retour, quasiment semblable à celle que l'on avait éradiquée. On la reçoit à la naissance, non pas avant la naissance, comme bien d'autres éléments transmis par la mère. Chez le fœtus, on ne trouve pas la moindre bactérie, mais à la sortie, lors du passage à l'air libre, en quelques instants à peine, au moment où le nouveau-né lâche son cri aussi primal qu'irréversible, les bactéries de la mère colonisent les organismes de l'enfant. C'est un héritage dont on ne se débarrasse jamais. Certains patrimoines bactériens sont particulièrement bénéfiques pour celui qui les héberge.

D'où cette idée lumineuse du professeur Karinthy d'aller chercher les bactéries les plus propices à la longévité, chez une des doyennes de l'humanité.

La vieille dans son hospice a été soigneusement vidée et toutes ses sécrétions, depuis les conduits auditifs jusqu'aux tubes digestifs, le tout a été embarqué et Gomez s'est fait un plaisir de cultiver tout ça. Les colonies bactériennes d'une centenaire, c'est un atout précieux pour faire durer le plaisir. Peut-être la clef parfaite pour faire accepter la transmission d'organe de synthèse dans les êtres vivants.

Gomez n'a plus qu'une envie, lancer au plus vite une expérience en grandeur nature sur un cobaye humain.

COBAYE

On t'a fait subir tant de tests et d'examens depuis que tu as rejoint ce lit à roulettes que tu ne peux même plus les compter. Tu as mordu des infirmiers, craché à la figure de laborantins laborieux, tenté de renverser des plateaux et d'arracher les intraveineuses dont on te perforait le bras. On t'a assommé de calmants et complété tes liens physiques par une épaisse camisole chimique. Impossible de discerner le jour de la nuit, les heures des minutes et les moments de somnolence avec les périodes d'anesthésie.

Tu as l'impression de vivre un cauchemar interminable, depuis que tu as poussé la porte du laboratoire. Dans le brouillard de tes souvenirs, tu te souviens que Noémie savait dans quel guêpier tu allais te fourrer. Elle a eu largement le temps de prévenir la police, des équipes de professionnels sont sans doute à ta recherche depuis longtemps déjà, ils finiront par prendre d'assaut le laboratoire dans lequel on te tient enfermé.

C'est du moins ce que tu espères. Et l'espoir fait vivre.

Mais si on t'expliquait la vérité, si on te montrait l'ensemble de messages virtuels, courriers électroniques, textos, photos et petits films que ta femme reçoit de ta part depuis que tu lui as annoncé, d'une voix synthétique qui imitait parfaitement la tienne, qu'un client t'expédiait en jet privé enquêter sur-le-champ en Nouvelle-Calédonie, tu comprendrais qu'il ne sert à rien de se bercer d'illusions. Et pour compliquer un peu la donne, tu n'es plus enfermé dans les bâtiments d'AB Medi, tu es de l'autre côté du pays, enfermé dans le laboratoire que le professeur Karinthy réserve au projet Prométhée.

C'est ici que Kanok s'est éteint il y a quelques semaines, ici que des rats clonés, dans lesquels on avait implanté le cerveau de certains de leurs cousins ont connu une dégénérescence anormale et que plusieurs souris artificielles, au squelette de métal et au cerveau synthétique, tentent de préserver le plus longtemps possible la mémoire de leurs ancêtres de chair. Ici que des ordinateurs à la mémoire colossale ont été réduits à une taille microscopique pour être glissés sous la peau à la périphérie crânienne et connecter le cerveau à une base de données aux possibilités infinies.

Tu as les yeux fermés, tu respires lentement.

Le lit à roulettes parcourt de longs couloirs interminables. Tu sens un vent froid frôler ta peau depuis les orteils jusqu'aux oreilles.

Tu es nu sur ta table d'opération mobile.

Tu regardes au plafond défiler les tubes néon.

Tu passes des portes, toujours les mêmes, celles d'un ascenseur, puis une porte en bois, puis celles d'un ascenseur. Tu arrives à l'air libre, tu vois le ciel mais il est si bas et si gris qu'il ressemble à un plafond.

Le lit poursuit sa course.

À nouveau des portes d'ascenseur et des tubes néons, puis un immense miroir au-dessus de ton lit.

Mais le corps allongé n'est pas le tien.

C'est celui de ton arrière-grand-mère, et il ne bouge plus.

Elle est morte.

Elle a ton visage.

Tu es mort et tu portes le sien.

Tu te réveillerais en sueur si c'était toi qui rêvais.

Mais ceci n'est plus ton rêve, c'est celui de la machine à côté de ton lit.
Celle où l'on a chargé tout le contenu de ta tête. La mémoire entassée,
les souvenirs, les odeurs et les frayeurs aussi. Tout toi mouliné en 1 et en
0, ta vie entière réduite à une interminable chaîne de chiffres simples.
Alignés, compilés, compactés.

Tout toi en binaire, dupliqué sur disques durs.

La machine rêve à ta place tandis qu'on te charcute.

Si le bistouri dérape et taillade ton aorte, il restera encore la copie de
secours, sur le PC au pied de ton lit. Ils peuvent t'égorger maintenant,
le projet peut avancer. Tes données son prêtes pour l'éternité.

Tu ne te rends plus compte de rien. Tu ne réalises pas que si ton double
informatique vient de rêver tout cela, c'est parce que dans une grande
ville, à l'autre bout du pays, ton arrière-grand-mère vient de laisser
échapper son dernier soupir. Elle est morte suite aux mauvais
traitements que l'équipe du projet Prométhée lui avait infligés lors du
prélèvement de son patrimoine bactérien. Tu te souviens de cela ?
L'information doit être stockée quelque part dans ta mémoire
informatique. Sa descente vers la fin a été aussi lente que pénible.
Elle s'est éteinte heureuse et maltraitée.

Tu ne seras pas là pour son enterrement. Noémie t'a prévenu sur ton
portable et tu lui as déjà répondu que tu ne pouvais par traverser les
continents en deux jours.

Pas tout de suite.

Pas encore.

Peut-être suffit-il d'attendre que les travaux du projet Prométhée
soient achevés ?

Que le temps et l'espace ne soient plus des barrières.
Tu n'en sais rien car dans l'état où tu es, tu ne te rends même pas
compte que c'est ton double qui rêve et qui réfléchit à ta place.

SAUVETAGE

Il ne faut pas prendre Noémie pour une imbécile. Quand on partage la vie d'un homme depuis plus de dix ans, on connaît ses travers et ses faiblesses mieux que les siens. La voix de synthèse sur le téléphone a beau être irréprochable, les textos et les mails rédigés avec une habileté sidérante, Noémie ne peut s'empêcher de détecter quelque chose d'anormal.

À vrai dire, elle n'imagine pas du tout une affaire d'enlèvement ou de complot médical, elle a en tête une forme d'embrouille plus simple et de plus courante : une liaison avec une cliente ou avec la maîtresse d'un client. Elle se dit qu'à force de filer le train aux couples illégitimes, tu as fini par avoir de mauvaises idées et que tu es parti avec une autre. Elle tente d'aller à la pêche pour en savoir plus, elle te pose des questions dans les messages qu'elle t'envoie mais tes réponses rédigées par les machines ne donnent aucun indice probant. Elle se dit que tu es comme tous les hommes infidèles, que tu nieras jusqu'au bout, même face à l'évidence.

Mais à la mort de Mémé, elle comprend que quelque chose ne tourne plus rond du tout. Cette histoire d'enquête au bout du monde ne tient pas la route. Elle réalise que les mots sont là — ils sont justes, ils sont troublants mais ils sonnent faux — ce sont les émotions qui font défaut. Comme une voix parfaitement copiée, avec les intonations, le rythme et les petits défauts inimitables, mais à laquelle il manque tout simplement le sourire. Ou la respiration.

Noémie est inquiète. Elle pressent que ce n'est pas une simple histoire d'infidélité, qu'il y a quelque chose de bien plus grave que cela et qu'il va falloir qu'elle utilise tes propres armes.

Elle se rend à ton bureau et ne prend pas même la peine de parcourir la pile de courrier entassée derrière l'entrée ou d'écouter les messages qui saturent la mémoire du répondeur. Elle fonce vers l'ordinateur car c'est pour lui qu'elle est venue. Elle connaît ton logiciel préféré, celui qui utilise la carte sim des téléphones portables pour localiser leur propriétaire. Officiellement, ce genre d'outil n'est pas accessible au public, mais avec l'aide d'un copain informaticien, tu bénéficies d'un accès direct dans les bases de données des fournisseurs d'abonnements. Noémie envoie un texto anodin vers ton numéro et, en quelques secondes, le portable est repéré. Il n'est pas à l'autre bout de la terre, juste dans un coin de la ville que tu ne connais que trop bien et que Noémie reconnaît sans hésitation.

Elle saisit le combiné du téléphone fixe.

Elle sait qui appeler. Tu ferais la même chose qu'elle si tu étais à sa place... On a toujours besoin d'un plus costaud que soi. C'est une devise que tu suis à la lettre, c'est indispensable dans le métier.

Raymond pèse un peu plus de cent kilos et atteint presque les deux mètres sans se dresser sur la pointe des pieds. Après avoir bossé comme mercenaire dans plusieurs conflits en Afrique et au Proche-Orient, il est rentré au pays et travaille en free-lance pour des entreprises de sécurité. Sa spécialité : les concerts, les soirées privées et les bains de foule. Il n'a pas son pareil pour calmer un fêtard qui veut en venir aux mains. Un coup de coude dans le menton, un balayage et deux ou trois côtes froissées, l'affaire est réglée. Raymond n'a jamais été doué pour le dialogue. C'est un homme d'action.

C'est lui qui, au volant de son Hummer noir, défonce la grille d'entrée du parking d'AB Médi, lui qui se présente au poste de garde à l'entrée de l'entreprise et arrache le badge magnétique du gardien. Noémie le laisse agir. Elle a pleine confiance. Il te connaît depuis vingt ans, il saura comment te trouver. Et il a plus d'un tour dans son sac, le Raymond : il peut renverser des armoires d'un mouvement sec de la main, briser les vitres avec son espèce de matraque miniature, exploser des serrures d'un coup de pied et casser la dernière porte de rage.

Ils retrouvent ton téléphone dans un bureau mais toi tu n'es pas là. Noémie menace de prévenir la police.

C'est alors que débarque un type en costume. Il leur montre des documents officiels, on y trouve ta signature. Tu as accepté de collaborer à toutes sortes de recherches scientifiques, tu reconnais que les échantillons et les organes prélevés sur toi peuvent être librement utilisés par AB Médi à des fins de recherche. Tu as même coché la case qui stipule qu'en cas de décès tu lègues ton corps à la recherche.

Ces papiers ne sont pas des faux. Tu les as signés de ton plein gré lors d'une visite médicale quand tu bossais dans le télémarketing. Tu sais qu'on devrait toujours lire un document avant de le signer, mais ce boulot de téléphoniste, tu n'y tenais pas plus que ça. Huit pages de formulaires, c'était beaucoup trop, tu ne les as même pas survolées. Une jolie infirmière t'a indiqué les trois emplacements où tu devais apposer ta signature précédée de la mention « Lu et approuvé ». Une formalité.

Tu es foutu mais tu n'es pas là pour t'en rendre compte. Tu es à des centaines de kilomètres de là et en bien sale état.

OPÉRATION

La porte du bloc opératoire n'arrête plus de s'ouvrir. C'est un bal de zombies drapés de blanc, le visage masqué, les pieds soigneusement emballés façon papillotes, aussi stériles que les recherches qu'ils entreprennent.

Sur le lit à côté de toi, le corps d'un homme que tu ne connais pas. Vous n'aurez fait que vous croiser.

Il s'appelle Michaël Molitor mais son nom n'a plus vraiment d'importance. Si tu savais que dans quelques heures c'est lui qui occupera ton corps à tout jamais : ses souvenirs dans ta tête, ses fluides et son patrimoine génétique jusque dans ton plus petit orteil, tu comprendrais que tu n'as jamais été que le locataire de ce corps qui te semblait être le tien pour toujours et depuis toujours.

Il refuse de mourir.

Tu vas lui servir de réincarnation.

Dans ta chair, on va mettre la sienne. Dans ton corps, on va mettre le sien.

Tu n'y comprends rien et c'est bien naturel, tu es déjà hors d'état, tu seras bientôt hors de toi.

Aujourd'hui, est une date historique, tu vas être expulsé de ton propre corps, comme on reconduit un sans-papiers à la frontière ou qu'on jette sur le trottoir une famille de locataires insolvables. On t'a réservé une dernière demeure : un ensemble de disques durs pour les informations mémorielles, une série de tubes à essai pour les échantillons de cellules, des sacs stériles pour le reste, un caisson refroidi à l'azote, pour le cas où, on ne sait jamais – la science avance si vite – on pourrait te ramener à la vie, dans quelques lustres ou quelques décennies. Tu n'y crois pas mais on ne t'a pas demandé ton avis.

L'opération est compliquée. On a préparé le donneur, on l'a habitué à ton environnement corporel. Vous semblez compatibles mais nul ne sait vraiment quels paramètres il s'agit de regarder. C'est le problème des premières : quand on a posé le pied sur la lune, c'était aussi une découverte. Et si le sol avait été marécageux ? Armstrong aurait dû nager pour rejoindre le Lem et repartir vers la Terre. Était-ce prévu ? Sans doute pas. On ne peut jamais tout prévoir et tout calculer.

L'ossature et les muscles ne sont pas indispensables, un exosquelette peut palier tous les problèmes de résistance et de mobilité, c'est plutôt de l'intérieur que les pires craintes circulent. Le rejet, comme pour les greffes, est probable mais bien d'autres réactions sont possibles. La chair qui bouffe la chair, une tumeur qui galope, un arrêt cardiaque pile au mauvais moment.

Ça ne te concerne pas, de toute façon, tu rêves encore et même si ton rêve n'est plus que celui d'une machine cela ne change en rien sa nature.

Tu rêves donc tu es.

Et tu es bien.

Tu ne sens pas les scalpels et les scies électriques qui entament leur travail.

Tu refuses que ce découpage en morceaux, cette dissection et cet équarrissage te tuent pour de bon.

Si on te posait la question, tu refuserais bien entendu de mourir.

C'est pour cela qu'on ne te la pose pas.

Tu aimes trop la vie pour accepter de la quitter ainsi, tu aimes trop le plaisir de fouiller dans la vie des autres, celui de boire un café, de regarder à la fenêtre, de rentrer du boulot dix minutes plus tôt, de dormir sans compter.

Tu aimes trop rêver.

Tu te dis que les animaux sont mieux armés que toi pour vieillir et laisser d'autres prendre leur place : ils ne se croient pas uniques, ils ne pensent pas être irremplaçables. Ils ne sont pas hantés par l'envie d'être toujours le premier et le plus puissant.

Ils sont en vie, c'est tout.

Il y a des jours où tu aimerais pouvoir en dire autant.

INTERVIEW

• *5*

Le professeur est penché sur l'écran, il tâtonne, à la recherche du bouton qui éteindra la transmission. La journaliste le regarde faire, elle hésite un instant. Puis, enfin, elle ose :

— Professeur Karinthy, j'ai encore quelques questions qui me tiennent à cœur. Puis-je prendre encore quelques minutes de votre précieux temps ?

Le professeur relève sa tête, les lunettes solaires ont glissé mais on n'aperçoit pas ses yeux, juste deux orbites sombres et redoutablement creuses.

— Allez-y, profitez-en, puisque je suis encore là.

— Au cours de votre carrière, vous avez bénéficié de dons très importants. Je ne parle pas de dons financiers mais de personnes privées qui ont légué leur corps à la science et vous ont permis de travailler à taille réelle.

Le professeur toussote, il approuve d'un ultime raclement.

— Oui, bien entendu. C'est souvent les articles publiés par vos journaux qui m'apportent des donateurs.

— Connaissez-vous un certain Alex Vidal ?

Le professeur attend quelques secondes, il semble réfléchir.

— Il y a vingt-cinq ans exactement, cet homme a disparu de la surface de la terre. Il n'a pas été enterré.

La dernière trace administrative de son existence est une signature au bas d'un document où il accepte de participer à un essai clinique dans un de vos laboratoires.

– Le nom ne me dit rien, Mademoiselle. Mais il est arrivé, à quelques reprises, que des expériences tournent mal. C'est déplorable, mais la science est à ce prix.

– Est-ce que je pourrais au moins savoir ce que vous avez fait de son corps ?

Le professeur Karinthy ne répond rien. Il braque son regard sur l'écran, comme s'il pouvait fusiller la journaliste à travers la caméra.

– Comment osez-vous insinuer des horreurs pareilles ! Je vous répète que je n'ai pas la moindre idée de qui il s'agit.

– Alex Vidal était mon père, professeur. Je ne l'ai jamais connu. Mais le docteur Gomez m'a appelé il y a quelques jours pour me parler des expériences qu'il a menées pour vous, il y a une vingtaine d'années. Il m'a parlé du programme Prométhée et des projets sordides que vous le forciez à diriger. Il m'a expliqué comment mon père a fini sa vie dans votre labo.

Le professeur se penche pour trouver le bouton, la porte s'ouvre, le secrétaire personnel est déjà là.

— Je ne suis pas une machine, professeur, il ne suffit pas de m'éteindre pour que je disparaisse. Vous avez peut-être tué mon père et volé les bactéries de mes ancêtres mais vous êtes passé à côté de l'essentiel. Je suis là, je suis vivante et vous ne pourrez ni me faire taire ni me tuer.

Derrière le secrétaire, deux barbouzes en uniforme de sécurité se précipitent dans la pièce. Ils empoignent la journaliste tandis que l'écran de transmission s'éteint en crépitant.

ÉPILOGUE

Quand tu t'éveilles, dix ou cent ans plus tard, rien n'a vraiment changé.
Tu es toujours aussi mort qu'avant. Un assistant a rallumé ton
ordinateur, simple question d'entretien et d'inventaire avant
liquidation. On a mélangé ta mémoire avec celle de bien d'autres pour
gagner de la place. Le stockage coûte cher. Michaël Molitor a fini dans
le même rack mémoriel que toi. La greffe n'a pas pris. Le professeur
Karinthy à son tour, gagné par un cancer aux métastases
particulièrement redoutables a fini par tenter de se faire héberger dans
un autre corps. Il a lamentablement échoué et la sauvegarde de son
système mémoriel n'était que partielle. Il ne se souvient plus de grand-
chose après ses années de maternelle. Quand l'enquête lancée par ta
fille, Chantal, a fini par l'éclabousser, il n'était déjà plus que l'ombre de
lui-même. Un charlatan parmi tant d'autres qui, à défaut de faire
avancer la science, aura détourné des fonds à son propre profit.
Un homme d'affaire brillant, un sorcier maladroit, un scientifique sans
éthique qui vendait des élixirs de jouvence High-Tech à des clients
angoissés par la mort. Certainement pas un vrai chercheur, souhaitant
questionner le monde et faire progresser les connaissances.
On a déplacé ton meuble, après avoir séjourné dans le bureau du
professeur Karinthy lui-même, tu te retrouves dans celui du liquidateur
de faillite. Cela ne change rien.

Le laboratoire a été repris par un tandem de chercheurs Coréens, ils n'y mettent jamais le pied, ils travaillent en réseau depuis l'autre bout du monde.

Le corps ne les intéresse plus. L'esprit non plus.

L'humain a fait son temps.

Ils cherchent à comprendre comment les bactéries communiquent et apprennent collectivement. Ils avancent à pas de géant.

Les laboratoires de chirurgie et de robotiques sont devenus obsolètes.

Pour des raisons budgétaires, on va couper l'alimentation électrique des frigos et des ordinateurs dans lesquels on t'a entreposé. Tout va s'arrêter bientôt, même ton rêve.

L'idée te soulagerait si tu pouvais en avoir conscience mais il est un peu tard pour ça.

La question qui t'intéresse vraiment c'est de savoir si tu continueras à rêver de ton arrière-grand-mère quand ils auront coupé le courant.

Pour le savoir, il n'y a qu'une solution, il faut attendre.

Qui vivra rêvera.

Dans quelques secondes, tu auras la réponse.

couverture : design Lili Fleury & dessins Patrice Killoffer

Publié avec le concours de la Région Ile-de-France
&
avec le soutien du **ᴄɴᴀᴘ** Centre national des arts plastiques,
Ministère de la Culture et de la Communication (allocation de recherche)

© DIS VOIR, 2010
1 CITÉ RIVERIN
75010 PARIS

http://www.disvoir.com

ISBN : 978-2-914563-57-4

Imprimé par
DZS GRAFIK
Slovénie

EUROPE

Septembre 2010